En vinter i Stockholm

AGNETA PLEIJEL

En vinter i Stockholm

Pan

Romaner av Agneta Pleijel:

Vindspejare 1987
Hundstjärnan 1989
Fungi 1993
En vinter i Stockholm 1997
Lord Nevermore 2000

ISBN 91-7263-140-6
© Agneta Pleijel 1997
Norstedts Förlag, Stockholm
Omslag: Arne Ödström/Ateljen
Andra tryckningen
Tryck: Nørhaven A/S, Danmark 2001

* * *

www.panpocket.com
Pan ingår i P.A. Norstedt & Söner AB,
grundat 1823

En Panpocket från Norstedts

ETT

Ordet lät annorlunda i hans mun, mjukare och lenare. Hans tunga gled över konsonanternas hinder, vokalerna bands samman i en enda rörelse som när vind går genom kastanjeträd. Senare och ensam försökte hon fånga hans sätt att uttala stadens namn utan att lyckas. Hon kände sig skygg inför ordet och staden:

SARAJEVO

Bussarna i Stockholm hade stora, skräckinjagande bilder: utblottade människor, barns anklagande ögon, och ett stort svart postgironummer: vädjan om hjälp. De gick över gatan, han strök med sin hand över ansiktet. Det var ofattbart, sade han, att se dessa bilder som påminde om reportage från hungerkatastroferna i tredje världen men som nu gällde hans eget land. Han sade så: "mitt land". Det var i november. Snömodden på gatan var smutsig, bussarna stänkte ner fotgängarnas byxben och skor. De gick till huset där han satt och skrev, ett rum i Vasastan, en stadsdel hon sällan besökte. Det var kallt i rummet, stelnad rök hängde i luften. Han hade ett elektriskt element vid skrivbordsstolen, på skrivbordet en lånad ordbehandlare, en printer och en gammalmodig fax. Sarajevo, om jag glömmer ditt namn... Ur den lilla radion med bandspelare i fönsternischen svällde cellotoner: Bach. Pablo Casals. Banden hade han tagit med sig hemifrån: Jag måste ha denna musik för att kunna tänka. Printern gav ifrån sig remsor av papper. Han gick fram och åter i rummet med händerna i byxfickorna, han var orolig, hon såg det. Så mycket kände hon honom alltså redan.

STOCKHOLM I NOVEMBER:

arktisk stad, under segel, gråbrun himmel, husen vända upp och ner, långsamt sjunkande under ytan. En kort hektisk rodnad i glipan mellan jordens

8

mörker och himlens. Bleka neonljus utanför bussens fönster, patetiska anrop. I november är Stockholm obeskrivligt, en dödsseglats in i vintern.

I HAVE BEEN CALLING FOR MORE THAN AN HOUR...

Hon insåg att telefonen måste ha ringt en god stund innan hon uppfattade signalerna och i brådskan snubblade över dammsugarsladden, sedan över kartongerna och bokhögarna i tamburen, de sammanbundna skidorna, hockeyklubborna, fotbollarna, travarna med LP-plattor, påsarna med kläder, tidningsbuntarna, allt som hon släpat ut ur garderober, lådor och skåp. Hon svor högt. Ute var det mörkt. Hela våningen badade i ljus, från taket, från vägglamporna. Bättre så. Mycket ljus, alla lampor tända. Först förstod hon inte vem det var som talade till henne. Rösten var okänd.

BUT IT'S ME!

Hon sparkade undan en av kartongerna och lyfte en pall över bråten i tamburen och satte sig på den.

Man får telefon från någon man inte sett på många år. Någon vars röst man inte väntat att få höra mer i livet. Det var sant att hon talat länge i telefon, kanske en timme. Därefter hade hon börjat dammsuga. Vad gör du här, har du emigrerat? Han skrattade åt hennes förvirring. Nej, han hade inte emigrerat. De svenska passpoliserna hade visserligen visat stor misstänksamhet, de hade ingående studerat hans dokument och ställt en rad frågor. Medan de talade framträdde hans ansikte långsamt som i framkallningsvätska: ljusa ögon, bruna eller grå, hon mindes inte, mun med fint svängda vinklar, känslig eller retsam; med denne man hade hon en gång sovit en natt, en enda. Hur många år sedan? Elva, svarade han.

SKOPJE.

Någon, en av konferensens värdar, hade kört henne dit, tagit farväl med kyssar på kind, skänkt henne en avskedspresent: en liten kruka av brun keramik med välvt handtag. När hon passerat passkontrollen stod hon vid väggen och betraktade resenärerna medan hon lät armarna vila över metallräcket som löpte utmed väntsalen. Det var hett, nästan kväljande. Många var gästarbetare som varit på besök i hemlandet, de bar på bylten och kartonger, somliga satt på golvet, alla stolar var upptagna. Man såg träden utanför de dammiga rutorna, de var torra, utmattade av värmen, rötterna i kramp. Skopje: hon mindes rubrikerna från jordbävningen 1963, bilder av stenhögar, hemlösa och döda. Staden hade ödelagts inom loppet av några få sekunder. Nu var den återuppbyggd, modern, med vita hyreskaserner. Hon kom från Struga där utbildningskonferensen ägt rum: ett mycket stort hotell, poeter från hela världen som på kvällarna, belysta av strålkastare, läste sina dikter på en bro över den hastigt rinnande floden. Även folk från trakten, män och kvinnor, kom för att lyssna. De satt eller halvlåg på de höglänta gräsbevuxna flodbankarna i mörkret. Hon satt också där på en tidning med armarna runt knäna, hörde bruset från vattnet, lät tankarna vandra, och försökte förstå något av det främmande språket med hjälp av tolkningarna som ekade ur högtalarna.

Fast alla var en smula dåsiga av värmen och vinet
talade man utan uppehåll vid träborden under de
höga träden, orden surrade och lyfte mot himlen.
De små språken är fickor för mänsklighetens min-
ne, sade en professor från Ljubljana och drog en
elegant parallell till geografin där de befann sig,
Ohridsjön, en av jordens djupaste, en restsjö av
det senmiocena Egeiska havet med underjordiska
tillflöden och unik sötvattensfauna: ett kärl för
uråldriga böjningsmönster i naturen. En dag då
hon längtade efter tystnad smet hon ensam med
landsvägsbussen till Ohrid, en vacker stad dit hon
skulle vilja återvända: branta stentrappor mellan
små vita hus omgivna av doftande buskage med
vita och röda blommor, och långt där nedanför
sjöns klarblå och orörliga yta. Hon besökte ett
museum med svartnat trägolv och ikonmålningar
på väggarna: mörka seende ögon, händer karakte-
ristiskt höjda med långfingret som nuddar vid tum-
men; en gul fjäril hade förirrat sig in bland mål-
ningarna. Vid en uteservering med tomma bord och
vita dukar och en övergiven orkesterbalustrad

drack hon ett glas vitt vin. Det var sent på efter-
middagen, skuggorna var redan långa. Ett par
småpojkar sparkade boll, det kom en liten vind,
det var behagligt.

ATT SKRIVA

bevara några ögonblick, spåren av dem, innan
glömskan släcker ljuset. Söka efter mönster, kan-
ske finns de inte. Det svåraste av allt: att hålla sig
borta från avsikter.

HEMRESAN:

också i flygplanet var det hett, det luktade desin-
fektionsmedel. Hon fann en fönsterplats långt bak.
Planet fylldes snabbt. Väskor, kappor och knyten
stuvades i bagageutrymmena ovanför huvudet.
Någon satte sig på den tomma platsen bredvid
henne, en man i jeans och vit skjorta, till all lycka
inte fet; man fick plats för armbågen. När flygpla-
net svängde blev hela Skopje synligt under den
sneda vingen, vita hus, alléer, industribyggnader,
vägar. Snart syntes bergen: de svarta klipporna stod

som taggiga utropstecken mot himlen, våldsamma, otämjda. Mellan dem vidgades djupa klyftor och blåskimrande raviner. Från sin fönsterplats betraktade hon molnskuggorna och det glidande ljuset. Resan hem skulle bli lång. Man måste först till Belgrad, eller om det var Zagreb, och övernatta. Mannen bredvid henne, axellångt hår och skarpskuren profil, läste en tidning på något av de slaviska språken. Hon såg över hans axel en bild av Count Basie. När berglandskapet hade försvunnit under ulliga och solbelysta moln började de samtala. Också han skulle övernatta i den andra staden och morgonen därpå flyga vidare, till Paris. Efter en stund insåg hon att han inte hade satt sig bredvid henne av en slump. Han hade lagt märke till henne på flygplatsen i Skopje. Det var Emm.

GÄSSLINGEN

hon bokstaverade det egendomliga namnet i telefon. Hon bjöd inte hem honom fast hon nu var ensam i våningen, hon föreslog denna lilla restaurang på en bakgata. Hon bokstaverade också tunnelbanestationens namn, Zinkensdamm, och gatans, Brännkyrkagatan, men efter så många omöjliga ljudanhopningar avbröt han henne när hon ville förklara vägen. Han ägde en utmärkt karta över Stockholm, det skulle inte bli några problem. YES, TUESDAY. Ja, klockan sju.

BADRUMSSPEGELN:

man kan bli häpen över främlingskapet i sina egna ögon. De flesta händelser dessa ögon har sett, de flesta ord som kommit ur denna mun är glömda. Mötet för elva år sedan, slumpen som förde dem dit, skulle ha gått en naturlig förvittringsprocess till mötes, dragit sig djupare in i glömskan, men plötsligt får det som hände för elva år sen en oväntad vikt.

SLUTET AV AUGUSTI.

Hon hade haft en stark dröm, uppskakande.

Hon bodde i ett stort hus med många salar. Utanför huset fanns en prunkande trädgård med ett överdåd av blommor. Huset och trädgården låg på

en hög grässklädd kulle och utsikten därifrån var
så vidsträckt att man såg jordens rundning: ett li-
tet grönt klot utkastat i universum. Hon vandrade
i trädgården och blommorna doftade. Det var stil-
la. Luften var lätt som eter. Då märkte hon att två
unga flickor gick vid hennes sida. Den ena var ljus,
hade ett folkviseansikte: rank jungfru med ögon
av vatten. Den andra var mörk och sorgsen, hen-
nes ansikte låg i skugga. De två unga kvinnorna,
högst sexton år gamla, hade som hon själv älskat
och levt med hennes man, hon visste det. Det be-
kymrade henne inte. Allt var självklart. Mannen
skulle återvända till henne, han hade på morgo-
nen ringt och sagt det. Tillsammans plockade de
nu blommor till hans hemkomst. Ja, den älskade
skulle återvända. Uppbrottet och skilsmässan var
bara ett missförstånd. Senare vandrade hon i dröm-
men på slätten nedanför trädgården bland många
människor. Hon fick syn på en riddarrustning i
skyn. Den cirklade runt jorden som en satellit. Den
återkom med korta intervall; omloppsbanan var
inte stor. Med bävan insåg hon att en levande man
fanns inspärrad inne i rustningen. Han var döende,
nästan död. Hon mötte en väninna som var upp-

rörd vid åsynen av satelliten: Det är fruktansvärt att vi vänjer oss vid detta vårt tillstånd! I samma ögonblick kom hennes man emot henne på slätten. Hon sprang honom till mötes, yr av lycka. Men vid mannens sida gick flickan med folkviseansiktet. Dessa två gestalter, mannen som hon älskade och den unga flickan, gick så tätt invid varandra att de nästan smälte samman; en kniv hade inte kunnat skilja dem åt. Hon hejdade sina steg. Det var alltså sant. Mannen hade övergett henne för en annan: för den unga flickan med folkviseansiktet. Den skramlande rustningen dök upp och försvann på himlen. Det mörknade hastigt. Människorna talade upphetsat om en stor olycka i flodsystemet i det inre av kontinenten. Det kom för henne att denna olycka ägt rum i hennes egen barndom. Människorna avlägsnade sig springande och hon blev ensam kvar. För ett kort ögonblick skymtade hon bland de flyende den sorgsna och mörka flickan, hennes ansikte låg fortfarande i skugga. När alla hade försvunnit visste hon inte vart hon skulle bege sig. Det var redan mörkt. Då kom den ljusa flickan emot henne, nu ensam, och sträckte ut sin hand, som om hon ville säga henne något viktigt. Flickans ansikte var fyllt av medlidande, stort medlidande. Hon vägrade att ta flickans hand och då försvann hon genast. Det var nu natt. Hon stod vid randen av en svart och svallande flod. En stor motorbåt närmade sig hastigt. Den var fullpackad med människor, flyktingar från katastrofen. Just som hon skulle hoppa i båten såg hon att mannen och den ljusa flickan satt på relingen, åter tätt ihop. Det gjorde obeskrivligt ont. Hon ville skrika högt. I stället hoppade hon ner i båten, det fanns inget annat att göra om hon ville överleva. Motorbåten förde dem in i hennes barndom: till en brygga i skärgården där hon tillbragt många somrar när hon var liten.

HJÄRTAT

slog hårt. Under en lång stund, flera minuter, förstod hon inte att det hade varit en dröm, så levande var allt detta. Torr i munnen kom hon ur sängen.

KRIGET.

Vilken kung tillhörde riddarrustningen som svävade som en satellit på himlen? Vem var den döende mannen? En representant för en förgången teknisk utveckling? Ett passerat mansideal, en döende patriarkal ordning? Vilka var de unga flickorna? Vem var hon själv? Drömmen släppte inte sitt grepp. Hon stod i morgonrocken på balkongen, några av björkarna hade fått stänk av gult i sina kronor, det fanns en knivsudd av kyla i luften. Över vikens vatten flöt en mjuk dimma. Stenarnas konturer var uppmjukade av väta. Hon hämtade morgontidningarna. Sarajevo. Hon mådde nästan illa av läsningen. Den nya världsordningen var bara ett ord på ett papper. Hon tyckte att våningen där hon nu bodde ensam svävade högt i himlen. Prinsessan i det höga tornet, övergiven av prinsen. Svindel.

DEN NYA VÄRLDSORDNINGEN.

I Jerusalem, det var året dessförinnan, satt de på golvet i skyddsrummet, ett vanligt sovrum med plast över fönsterrutorna. De höll varandra i hand, hon och hennes man, övertygade om att missilerna från Iraks västra gräns bar med sig gas. Enligt informationen hyreshusets gäster fått kvällen innan var det så. Håll er lugna i händelse av ett anfall, ingen panik, sade mannen som gav dem instruktioner. Han var tämligen ung, vid hans fötter låg kartonger som innehöll gasmasker. Husets vuxna fyllde bänkarna och stolarna i skyddsrummet i källaren. Många barn fanns med, de fick sitta på golvet. Den israeliska kunskapen om vad Irak företar sig är god, sade mannen. Grannen i våningen intill Jacobs, en äldre dam, tolkade åt dem. Om det blir ett konventionellt anfall vet vi det minst sex timmar i förväg. I så fall skall vi bege oss hit ner till källaren; den är byggd för sådana angrepp. Om missilerna däremot bär med sig gas skall vi bege oss upp till husets översta plan där flera lägenheter har utrustats för denna eventuella händelse. Grannen, en kvinna från Polen med blåskimrande hår, nickade vänligt och lugnande. Vi skall inte använda hissarna utan trapporna. Det var logiskt, gas sjunker, man bör då befinna sig högt upp. De som önskade fick därefter hålla i en gasmask. Maskerna var mycket moderna och liknade inte den som hängt i faderns garderob efter beredskapen under kriget. Dessa moderna masker hade ett litet rör i nosen genom vilket man skulle kunna dricka, ett sugrör helt enkelt. När larmet väckte dem mitt i natten fann de att deras grannar redan skyndade uppför trapporna, halvklädda och yrvakna, många med barn på armen, alla i stor brådska. Då gjorde de samma sak. Hon mindes känslan, en torr och sträv upprördhet, mycket nykter, och ett svagt illamående. Hon hade tidigare inte vetat att det var så som skräck kändes. I fyra eller fem timmar satt de bland många andra på golvet i skyddsrummet, i vanliga fall sängkammare hos grannarna högst upp, övertygade om att Saddam Husseins gas skulle falla över dem. Det var mycket trångt. Bredvid henne och Jacob satt en åttaårig flicka, panikslagen av sin mask och av att se sin insektsliknande mor upptagen av babyn i den gassäkra babykorgen på dubbelsängen: en kondomliknande plastficka tillät modern att röra vid barnet som gallskrek därinne. Flickans far och äldre bröder stod vaggande i sina gasmasker vid fönstret, försänkta i böner. Den lilla polska damen syntes inte till. Hon hade stannat kvar i sin egen våning och inte använt gasmasken. Ni förstår, inget i världen skulle kunna förmå mig att dra på mig en sådan tingest, sade hon efteråt: hon hade varit fånge i Auschwitz. Nästa morgon fanns Abba Eban på ett hotell i Jerusalem dit Jacobs vänner förde dem. Också Eban hade tillbragt natten i ett skyddsrum på hotellets översta våning. Hans ansikte var grått som papper men han talade med klar röst om den ordning som skulle följa på detta krig: en ny internationell rättsordning. Hotellpersonalen höll på att duka till frukost i matsalen, det slamrade. Genom den öppna dörren såg hon en amerikansk ortodox familj, fadern och sönerna bar kindlockar. De hade staplat sina gasmasker ovanpå varandra på frukostbordet som en menora; det skulle mycket riktigt bli sabbat. Någon klinkade på flygeln av märket Yamaha. Abba Eban talade med lugn stämma: detta krig bevisade demokratiernas styrka. Men redan hade de skärmytslingar börjat som inledde det jugoslaviska sönderfallet. Det våld som skulle följa skulle ingen ny världsordning kunna rå på. Medan Eban talade drog människor ut och in genom matsalen och hotellets foajé: de liknade fågelsvärmar, de påminde om flockarna av döda själar hos Dante.

FÅGLAR.

Bara några månader senare berättade mannen, vars hand hon hållit i skyddsrummet och som hon varit gift med i många år, att han älskade en annan kvinna, inte bara henne, också en annan. Någon förbindelse hade detta med vistelsen i Jerusalem. Hon gick en morgon genom parken utanför huset där de bodde, berusad redan i gryningen, sönderrökt, med armarna om sin egen kropp, och hörde fåglarna ge hals. Det var försommar och en ny världsordning.

PRINSESSAN

i det höga tornet, prinsessan på glasberget står under sin faders, Konungens, förtrollning. Ingen av friarna kan gissa den förelagda gåtan, ingen av dem förmår rida uppför det hala glasberget. Så är det i sagan. Stod hon under sin fars förtrollning? Det tyckte hon inte. Hennes far hade varit en god och förnuftig man.

PIKARESKEN.

Som ung föreställde hon sig att hon en dag skulle skriva en äventyrsroman, en pikaresk, med en kvinnlig huvudperson; denna idé fanns i huvudet i flera år. Skriven blev den aldrig, inte ens påbörjad. Hon tror sig i efterhand veta varför.

HUR UPPFATTAR DE ANDRA MIG?

Hon vet inte mycket om det. Det är som med drömmar: man förmår inte tolka dem själv, det är lika svårt som att se sig själv på ryggen. Kvinnan är instängd av den andres blick, av mannens, hon förmår inte tolka den; hon är objektet, hur bli ett subjekt? Detta är inget banalt problem. När hon som ung läste Nietzsche, raderna om att övervinna människan, var det först den kvinnliga människan inom sig som hon trodde att hon måste övervinna. Den manliga blicken var den objektiva. Hon sökte efter den objektiva blicken, hon försökte tillägna sig den och måste då bortse från könet, det egna. Det gjorde henne hjälplös i många situationer, till exempel då det handlade om att avvisa någon.

Vanlig enkel brutalitet kan vara en god egenskap, men hon vred sig som en mask på kroken: att avvisa tycktes henne vara en så djupt kränkande handling att hon led flera kval än mannen som skulle avvisas. Så hade det också varit på konferensen för elva år sedan. En av de jugoslaviska värdarna visade sig höra till de traditionella konferensbockarna, ville likna Ernest Hemingway, var genomdränkt av whisky, försökte oavlåtligt välta omkull henne, uppvaktade henne dessemellan för att hon skulle rekommendera hans epigonmässiga noveller till ett svenskt förlag. Hans egenmäktiga sätt att lägga beslag på henne, hela detta spel, hennes oförmåga att sätta stopp för hans närmanden, gjorde det svårt för henne att säga rakt ut vad hon ansåg om hans noveller, fast det förstås skulle ha varit en utväg. Hon försökte under de fyra eller fem dagar konferensen varade att upprätthålla en *joking relation* till honom. Hon uppmuntrade honom inte. Hon skämtade, bytte samtalsämne, försökte avleda. Om man skall vara uppriktig, och varför skall man inte det, förstörde denne man besöket i Makedonien för henne. Hon tyckte att hon inte kunde röra sig fritt. Andra lämnade fältet öppet för mannen. Han hade markerat ett revir, hon tycktes ingå i det. Hon rymde; en gång till ikonerna i Ohrid. Varför slog hon honom inte på käften? Varför var en sådan enkel och rättfram handling utom räckhåll för henne? Det finns en reva i självbevarelsedriften. Denne man var det som körde henne till flygplatsen i Skopje. HOW CAN YOU BELIEVE THAT I SLEPT WITH THAT GOAT! Hennes indignation över Emms fråga var äkta, hon svarade med eftertryck. Emm hade betraktat henne från den stund då hon anlände till flygplatsen i sällskap med Skopjes självutnämnda svar på Ernest Hemingway. Han hade iakttagit henne också när hon stod i flyghallen och trodde sig osedd; senare frågade han om hon sovit med mannen. Nu när hon många år senare skriver om dessa ting känner hon sig en smula löjlig, som om hon berörde något som andra vet svaret på, andra kvinnor.

EMM:

ingen påträngande människa. Samtalet i flygplanet flöt lätt och otvunget. Hon betraktade honom från sidan: ett behagligt ansikte, finkänsligt. De tog

in på samma hotell, i var sitt rum. Han var en till-
talande man, en tilldragande människa.

LÖV I EN FRÄMMANDE STAD.

Det var naturligt att gå ut och äta tillsammans på
kvällen i den främmande staden. Hon hade aldrig
varit där. Han kände staden väl. Grå sten, gul ga-
tubelysning, lövmassor och en liten kvällsbris.
Någonstans måste en flod finnas, med broar och
fåglar. Han rörde inte vid henne. De gick sida vid
sida genom folktomma och glest upplysta gator.
De kom mycket riktigt till floden, den var bredare
än hon väntat. Han visste var de skulle kunna äta.
Kvarteren som de nu kom in i var äldre, byggna-
der från renässans och barock.

WHO IS YOUR FAVOURITE PAINTER?

Rembrandt.

WHY?

Inte helt lätt att svara på, hon fick tänka efter en

27

stund. Skuggorna som oväntat faller över människors ansikten. Dessa skiftningar mellan ljus och mörker och som avbildar tid. Målarens eget ansikte förvandlas på självporträtten under åren som går, skuggorna djupnar, ögonen är desamma. Porträtten av Saskia van Uylenburgh, hustrun: han samlar tid. Han vet att den är förgänglig. Han vet att tiden äter tingen, materien, anletsdragen. Så bärgar målaren ett stycke evighet. Emm avbröt inte, invände inte. Dansken Kierkegaard har uttryckt det väl: I tiden, vars fångar vi är, finns små korn av evighet innestängda. Under korta ögonblick av levnaden händer det att vi upplever ett sådant ögonblick av evighet mitt i tiden. En evighetsbubbla brast, eller inneslöt oss oväntat. Då känner vi inte av vår fångenskap, för ett ögonblick är vi fria. Hon tystnade. Vad talade hon om, var det verkligen om Rembrandts målningar?

FOR ME KLEE IS THE GREATEST

en ständig inspiration. Färgerna, lättheten. Materien trycker inte, den är lättare än luft. Också hon tycker om Paul Klee. Restaurangen var nästan tom.

Vita väggar. En bredbladig växt i en stor kruka. Någonstans ljud av rinnande vatten. Fanns det en trädgård på andra sidan väggen, en fontän? Melankolin i hans ansikte, ja hon minns honom som melankolisk. Av samtalet i övrigt finns inte några spår, bara en bild som motstått tiden.

EN BLÅ BOLL

och ett klipplandskap. De taggiga jugoslaviska bergen och mellan dem en strid fors. En lysande blå boll förs virvlande bort av vattenströmmarna. På stranden står en pojke, han är inte gammal, fem eller sex. Bollen är hans. Han är förtvivlad. Till slut försvinner bollen i en flodkrök mellan två klipputsprång. Terrängen är för oländig för att han skall kunna fortsätta. Mellan två stenar ligger en kvinnas väska. Han lyfter upp den, han gråter. Hon mindes inte längre samtalet på restaurangen. Hon ersatte den med denna bild, varifrån kom den? Varifrån kommer bilderna som ersätter orden, sammanhangen, kausaliteten? När hon minns denna kväll elva år senare får hon för sig att Emm på restaurangen berättade för henne om sin mors död.

fanns det i hotellrummet. De satt i hennes rum, hon
på en enkel stol vid fönstret, han i en fåtölj vid det
lilla runda bordet. En liten lampa på bordet kas-
tade ett försjunket ljus. Framför fönstret hängde
ett smutsigt grönt sammetsdraperi. Man skulle
kunna dra för draperiet om man ville utestänga
dagsljuset. Nu var det fråndraget på båda sidor om
de tre fönsterrutorna som en teaterridå. Hon satt
på scenen, Emm var åskådaren. Ute var det svart.
Hon njöt av att ingenting behövde sägas, det fanns
inget tvång att tala. De hade ätit, de hade gått ge-
nom de mörka gatorna, han hade med självklar-
het men utan påstridighet följt med till hennes rum.
Hon visste inte om de skulle sova med varandra,
om hon ville det. Hon sade, utan att se åt hans håll,
att hon hade en man.

I HAVE A WIFE.

Hon sade att hon hade barn också.

SO HAVE I.

Han hade två. Hon vände inte ansiktet mot honom när hon berättade att hon hade velat ha flera barn, hon hade bara ett. Mannen som var hennes barns far hade inte velat ha fler. Efter skilsmässan hade hon flyttat samman med en annan man. Inte heller han ville ha barn med henne fast hon hett önskade det. Det hade gjort henne mycket ont. Varför var inte barn en naturlig följd av kärleken? Denne man som inte ville ha barn med henne gjorde däremot en annan kvinna med barn. Av misstag, sade han. Samtidigt fick hon själv veta att hon inte kunde få fler. Något var i olag. Det var ett under att hon fått detta enda barn. Då blev hon förtvivlad. En tröskel i livet uppenbarade sig, en oöverstiglig tröskel i hennes kvinnoliv. Hon visste inte varför hon anförtrodde sig åt honom, en främling på ett hotellrum i en okänd stad. Hon blev tyst. Emm teg också, han tycktes förlorad i rummets djupa skuggor. Hon lutade huvudet mot fönsterglaset som var kyligt och svalkade. På andra sidan gatan fanns en grå fasad. Alla fönster var släckta. I det mörka gatuschaktet under sig såg hon en varelse. Hon lutade sig framåt för att kunna se. Varelsen drog en kärra efter sig. Det var en gammal kvinna, såg hon, i huckle och klädd i trasor. Ett svagt ljus från sidogatan föll över gatstenen och över kvinnan som drog kärran.

HOW LONG DID YOU STAY WITH THIS MAN AFTER THE CHILD HE MADE BY MISTAKE?

Hon hade nästan glömt att hon inte var ensam i hotellrummet. Hon svarade stilla: Det är med honom som jag lever. Då sade Emm att han inte trodde att han skulle ha stått ut med det. Hans röst var utan ironi, utan all förställning. Hon vände sig mot honom, medveten om lusten. Åtrån som funnits från det ögonblick han satte sig bredvid henne i flygplanet.

LÄNGTAN EFTER BARN:

där överväldigas kvinnan av biologin. Hon hade sett det hos många. I hennes eget liv hade det varit på samma sätt. En ofattbart stark drift, en naturkraft. Mer än något annat hade den fått henne att inse att hon var kvinna. Ingenting hade fört med sig större komplikationer. Männen: de vill inte ha barn. Med andra kvinnor kanske. Inte med henne.

EN MAN SKALL BÄRA SIN KVINNA PÅ SINA HÄNDER.

En dag, det är när hon håller på att skiljas från sitt barns far, brister hon oväntat i gråt medan hon håller på att diktera ett brev för sekreteraren på institutionen. Hon lägger armarna på sekreterarens skrivbordskant och faller i tårar. Det är en vanlig förmiddag. Utanför fönstret snöar det, inne är luften torr och grå. Sekreteraren, en inte längre ung kvinna med kloka ögon, lyssnar tålmodigt till de många häftiga förebråelser som den yngre kvinnan riktar mot sig själv. Hon ger barnets far rätt på varje punkt: hon är för rastlös, hon arbetar för mycket, hon är inte som en mor bör vara, inte som mannens mor har varit. Hon drivs av något, och vad är det egentligen? Hon drivs av behovet att finna en sanning, men vilken? Hon vet att hon lever fel, utan förbindelse med sig själv. Hon är uppvarvad som en spiral, spänd som en sträng. Hon börjar misstänka att hon på ett eller annat sätt faktiskt har hållit barnet ifrån sig. Barnets ömtålighet påminner henne kanske på ett alltför plågsamt sätt om ett annat försummat barn som hon för länge sedan har förlorat kontakten med, i sin strävan att vara duktig, att duga: sig själv. Barnets far säger, det är kort innan de flyttar isär, att han aldrig har varit förälskad i henne. Han har valt henne för hennes styrkas skull, och han har sett fel. Marken gungar. Hon vet inte i vilken gåtfull trädgård som barnets barndom formas. Hon förmår inte skapa några trädgårdar. Tiden jagar henne. Efter en stund lägger institutionens sekreterare sin hand på den yngre kvinnans huvud. Det är en mycket lätt beröring, nära nog kärleksfull. Hon säger stilla: En man skall bära sitt barns mor på sina händer. Den yngre kvinnan slutar tvärt att gråta. Orden är häpnadsväckande. Hon lyfter sina rödgråtna ögon och stirrar på sekreteraren. Sekreteraren fortsätter: om hennes egen man inte hade gjort det, dessutom höljt henne i blommor de stunder han tillfälligtvis var tvungen att sätta ner henne på marken, hade hon inte stannat kvar hos honom. Att de hade tre barn tillsammans skulle inte ha spelat någon roll. Den yngre kvinnan ser tyst ut genom fönstret där den glesa snön inte upphör att falla. Lydigt dricker hon av vattnet som sekreteraren hämtar åt henne. Hon upphör inte efter denna händelse att nagelfara sina brister, att förebrå sig, att samla skuld, men i många år efteråt grubblar hon över hur det kom sig att denna kvinna, institutionens osedda sekreterare, hade förmått att sätta ett sådant pris på sig.

I SEPTEMBER:

hon tog tunnelbanan till Storkyrkan för en konsert. Benjamin Britten, Buxtehude och Bach, orgel och kör. Det var mycket vackert. Hon satt ensam i kyrkbänken och frös en smula. Det fanns människor hon hade kunnat ringa till, gamla vänner som hon försummat. Hon ringde inte, hon stod inte ut med att umgås.

MARIENKIRCHE.

Där mötte hon för första gången kompositörens namn, Buxtehude. Av någon anledning fick hon för sig att namnet borde uttalas på franska. Första utlandsresan på egen hand. Hon var femton och på språkkurs i Lübeck och spåren efter kriget var ännu fullt synliga. I gathörnen låg tegelstenar. Kyrkans torn var inte uppbyggt efter bombningarna, den stora klockan låg på kyrkgolvet där den fallit. Hon var inackorderad i en lübeckfamilj. Fadern ägde en affär för material till ugnar, klinker och kakel. En dag fick hon följa med familjen till Travemünde för att se på fyrverkeri. På vägen stannade familjefadern sin Volkswagen, ljust blå, och pekade över vattnet. Man kunde urskilja krattad vit sand, låga buskage och soldater. Familjefadern sade: Där lever de i ett fångläger. Hon såg för sin inre syn vakttornen, soldaterna, schäferhundarna och rös. Det var östsidan. En sådan spricka gick genom världen. Den gjorde henne upprörd. Därefter gick de av och an på stranden, himlen täcktes av eld, av gnistregn och exploderande ljuskaskader: djuprött, isande grönt och vitt. De ser fyrverkeriet också från den andra sidan, tänkte hon. Det är meningen att de skall se fyrverkeriet där borta. Hon följde med familjens döttrar på scoututflykt. De unga västtyska flickorna tog varandra i hand under höga ekar och sjöng om Tysklands återförening. Hon stod ett stycke utanför ringen med händerna djupt nerkörda i jackfickorna och betraktade den ljusa kvällshimlen ovanför ekarna och kände sig illa till mods. Ingen talade om kriget, nazisternas förbrytelser eller koncentrationslägren. Det var som om det inte hade existerat. Det enda som fanns var fånglägret på andra sidan vattnet och friheten på denna sida. Hon bestämde sig för att kompositörens namn med nödvändighet måste uttalas på franska: *Byxthydd*. Under de tre veckorna bibehöll hon en grundläggande misstänksamhet mot omgivningen trots att modern i familjen vid ett tillfälle förklarat att de inte hade haft det minsta med kriget att göra. Hon kände sig egendomligt upprörd. Det var något i miljön hon inte förstod. Något doldes. Denna lättsamhet i vilken de levde, den stora trädgården, swimmingpoolen, allt tycktes henne fruktansvärt. Hon mindes en filmtitel: *Die Mörder sind unter uns*. Fantasierna om kriget red henne som en mardröm. Men värst var lögnen. Att de ljög. Hon gick ofta ut ensam, en kväll på en konsert i Marienkirche.

SANNINGEN.

I över ett år hade nu tillståndet varat. Han hade flyttat, det var på sommaren, till en lägenhet i andra hand. Han upphörde inte att komma hem till våningen där han bott med henne, åtrå henne, älska med henne. När han om morgonen lämnade henne kände hon dödens beniga fingrar klämma åt runt halsen. Han ljög inte. Han älskade två. Denna uppriktighet. Hon fann den nära nog oanständig. För honom var allt naturligt. Dessa två kvinnor, mer begärde han inte av livet. Om någon tidigare sagt att hon skulle finna sig i något sådant hade hon skrattat. Svindeln ökade för varje dag. Fotfästet: hon höll på att mista det. Hans oskuld var grym som ett helgons. Någon måste sätta punkt. Mannen skulle inte göra det. Någon av kvinnorna. Hon undrade vem.

I OKTOBER:

med tacksamhet tog hon emot inbjudan till universitetskonferensen i Madrid. Mer än gärna lämnade hon för några dagar sitt ödsliga torn. En eftermiddag fick hon en impuls att vika av från Plaza de la Independencia och in i Parque Retiro. Det var vindstilla och varmt i luften. Hon stannade till vid den konstgjorda sjön vid Alfonso XII-monumentet och höll andan av hänförelse. Marmorskulpturerna speglade sig i vattnet. En roddbåt med en ung pojke vid årorna och en flicka i aktern drog upp en mörkgrön vattrad linje över de gula marmorspeglingarna. Flytande bilder, stelnade drömmar.

PARQUE RETIRO.

Hon gick vidare och lät fötterna styra. Hon gick in i parken, allt djupare in i parken. Tillbakadragandets park? Hon gick över gräsmattor under höga träd där barn kastade boll till varandra. Hon lyssnade till deras alltmer avlägsna rop. Hon vandrade längs grusgångar mellan ansade häckar. Solen värmde. Hon kom till en rad små träbord vid en plats där grusgången vidgade sig. Här kunde man bli spådd. Då visste hon genast att hon ville låta spå sig. En zigenerska spådde i handflatan, en man med stort skägg lovade att utlägga framtiden med hjälp av kabbalistisk mystik, men de flesta använde tarokkort. Hon ville i lugn och ro utse den som skulle avslöja hennes öde och gick långsamt utmed raden av bord. Till slut fann hon honom, en man i sextioårsåldern med slitna anletsdrag, mörkblå kavaj och röd yllehalsduk. Intill tarokleken låg ett cigarrettpaket av märket Fortuna. Hans namn fanns textat på en skylt på bordet: PROFESOR FALKHOM, FUTUROLOGO. Han spådde på flera språk, kastilianska, katalanska, italienska och tyska, enligt texten på skylten. Hon gick över till utomhusserveringen på gräsmattan bakom hans rygg och beställde en kopp kaffe. Inga andra gäster fanns där, hon var alldeles ensam. I lugn och ro kunde hon betrakta profesor Falkhoms ryggtavla. Hon drog fram tidningen, El País, ur väskan och tände en cigarrett. Vid ett tillfälle reste sig profesorn och gav sig av längs grusgången. Också hon reste sig då häftigt, egendomligt upprörd, och knackade i bordet med ett mynt för att få betala. Det var som om hon hade haft ett uppgjort möte med mannen i den blå kavajen. Hon behövde inte oroa sig, han återvände till sitt bord. När den fetlagda servitrisen dök upp beställde hon ytterligare en kopp kaffe. Hon stavade sig fram i El País, en artikel om Sarajevo. Till slut kunde hon inte uppskjuta det viktiga mötet längre. Hon stoppade tidningen i väskan och släntrade över till spåmannens bord.

PROFESOR FALKHOM

såg utan förvåning upp mot henne. Han bad henne sätta sig på stolen mitt emot. Han blandade den slitna kortleken. Det gäller kärleken? Hon svarade inte. Alla har bekymmer med kärleken, fastslog profesor Falkhom. Han suckade djupt och dystert. Hon greps av stark sympati för mannen. Var hon gift? Hon svarade efter ett kort ögonblick ja. Mer upplysningar hade hon inte för avsikt att meddela. Ännu var det varmt i parken. Hon kände solen i nacken. Hon lyssnade till fåglarna. Spåmannen delade leken i tre delar och hon valde en av dem. Medan han långsamt fäste korten i metallstativet på bordet, ett efter ett, stack han en cigarrett i mungipan. Hon böjde sig fram och tände den åt honom. Han kastade en blick mot henne. Ljust grå ögon. En aning vattenfyllda. Efter ett bloss på cigarretten och en hastig blick på korten sade profesor Falkhom med inlevelse: MACHEN SIE KAPUTT MIT DIESER EHE UND SOFORT. Gör genast slut på äktenskapet, ett så rakt besked hade hon inte väntat sig. Hon drog efter andan. Hur kan ni säga det? frågade hon. Profesor Falkhom ryckte på axlarna. Hon plockade fram sitt anteckningshäfte ur axelväskan. Inte ett ord ur hans mun skulle undslippa henne. Peka på kortet som visar det, bad hon. Han satte pekfingret på ett kort i övre raden. När hon lutade sig fram såg hon att det föreställde ett bord som var dukat med många runda bägare. Ett par av dem hade fallit omkull. Lycka, konstaterade han torrt, lycka för er. Därefter flyttade han pekfingret till ett kort längre ner i raden: ett brinnande hus, flammor stod ur alla fönster. Han lyfte blicken mot henne. Det tjänar ingenting till att uppskjuta det, sade han. Ert äktenskap är förmodligen redan slut: KAPUTT. Men det saknas fortfarande ett beslut från er sida. Om ni inte fattar det får ni stora sorger, många bekymmer. Hon antecknade vad han sade: KAPUTT, GROSSE SORGEN. Jaha, sade hon spakt och lät pennan vila. Men om ni frigör er, om ni bryter upp, fortsatte profesor

Falkhom, nu med energi i rösten, kommer en ny man att dyka upp, SOFORT. En ny man, omedelbart? Hon brast i skratt. Hur kunde han uttala sig med en sådan självsäkerhet? SOFORT, SOFORT, vidhöll profesor Falkhom. Var det något i hennes ansikte som avslöjade henne? Fanns det ett okänt formulär som hennes liv och äktenskap hade följt? Men när hon såg in i profesor Falkhoms ögon var de uttryckslösa, en smula trötta bara, som om de sett för mycket. Hennes blick gick upp mot trädkronorna där löven sakta rördes. Vad då för en man? frågade hon. Profesor Falkhoms pekfinger landade på ett nytt kort. Hon fick vrida på nacken en smula för att se vad det föreställde: en riddare som grenslade en mager hästkrake. Hon tyckte att riddaren såg en smula onykter ut, som om han höll på att ramla ur sadeln, men det var möjligt att han bara böjde sig för att hämta upp något från marken eller höll på att sitta av. Är det han? frågade hon misstänksamt. Profesor Falkhom nickade. Mannen ser opålitlig ut, sade hon. Ni har fel, invände profesor Falkhom. Han knackade med knogen på den vimmelkantige riddaren. Detta kort har lagt sig omedelbart efter det lyckosamt dukade bordet. Mannen är inte opålitlig. Han är tvärtom ett utmärkt parti för er, fri och utan band och med stabil ekonomi. Men profesor Falkhom, utbrast hon, vilka klichéer, fri, med stabil ekonomi! Symboler, rättade profesor Falkhom henne. Denne man som ni möter om ni gör som jag säger kommer att vara mycket mer underhållande för er än mannen som ni nu är gift med: VIEL MEHR UNTERHALTEND. Hon bet sig i läppen. Underhållande, det hade hon inget emot. Han kommer att älska er, sade profesor Falkhom. Men om ni tvekar att göra slut på ert äktenskap går denna möjlighet er förbi. Hon kunde inte låta bli att le åt hans tonfall. Men hans ord drabbade henne. Det är redan slut, ert äktenskap, upprepade han. Det fattas bara ett beslut från er sida. Han lyfte blicken mot henne. Något som liknade värme skimrade till i hans grå ögon. Tveka inte, sade han. Ni är ännu inte gammal. Ni ser bra ut. Man måste alltid fatta vissa beslut. Han sträckte fram det skrynkliga cigarrettpaketet mot henne. Hon tog en Fortuna. Profesor Falkhom fördjupade sig i de övriga korten. Av dem framgick att hennes hälsa var god. Någon liten katarr kanske, inget att oroa sig för. Den närmaste månaden borde hon

44

vara försiktig vid bilratten, en smärre olycka kunde inträffa och skulle i så fall ge en skada i vänstra benet. Arbetet gick bra. I själva verket var hon framgångsrik och skulle bli än mer framgångsrik under det kommande året. Ingen i familjen skulle dö under överskådlig tid. Hon lyssnade. Dessa informationer föreföll lugnande. Er framtid ser ljus ut, sade profesor Falkhom, men ni behöver också en bra kärlek, sade han. Ni skall inte vänta längre. När ni har träffat den nye mannen kommer ni att se med andra ögon på allt som har varit. Hon nickade. När dyker han upp, frågade hon sedan, inte utan otålighet. Profesor Falkhom tänkte efter. Det kan ta tre eller fyra månader, trodde han. Men senast i januari eller februari. Under tiden skulle hon inte tänka på något särskilt, bara med öppna sinnen bereda sig för den nya kärleken. Det var nu dags att vända på det hemliga kortet som skulle avslöja något viktigt om henne. Hon fick själv göra det. Kortet föreställde en man som gick över en bro med osäkra steg. Ett djur som såg ut som en kanin men förmodligen skulle föreställa en hund nafsade mannen i vaden. SEHEN SIE! utbrast profesor Falkhom med något som liknade triumf i stämman och såg henne rakt i ögonen. Allt är bra hos er, men ni har en svag punkt, det framgår av detta kort: ni har en instabil punkt beträffande kärleken. Allt annat hos er är bra. SEHR, SEHR GUT. NUR MIT DER LIEBE IST ETWAS NICHT IN ORDNUNG, EIN WEICHER PUNKT. Han samlade ihop korten, seansen var över. Med ett annat tonfall frågade han vad hon sysslade med. Lärare, intellektuell. Ja, han hade tänkt sig något åt det hållet. Hon kände besvikelse över att det redan var slut. Kunde inte profesor Falkhom säga något mer om mannen som snart skulle dyka upp? Hur gammal var han till exempel? Profesor Falkhom ryckte på axlarna. Fyrtiosju, sade han. Eller fyrtiofem. Profesor Falkhom hade mycket riktigt en skandinavisk förfader. En skvätt norskt blod fanns i honom till följd av inblåst skepp från spanska armadan i en norsk vik. Han hade besökt Norge en gång. Han föreslog henne att återkomma. Av korten att döma skulle hon återvända till Madrid i april 1994. Då tyckte han att hon skulle söka upp honom igen. Varför sitter ni, *profesor*, och spår i kort i Parque Retiro? Han var psykolog till yrket, svarade profesor Falkhom, men tarokkorten gav honom en bas för att kunna hjälpa människor. I över trettio år hade han arbetat med tarokleken. Han hade också en mottagning hemma, en CON-SULTA PRIVADA. Hon fick hans visitkort. Hon fortsatte sin vandring genom parken. Hon kände sig upprymd, också skakad. Hon såg profesor Falk-homs hem för sig: mycket enkelt, i Madrids utkan-ter; en hund fanns där, och en kvinna, och en inte helt utläkt gammal sorg.

PLAZA MAYOR.

En tortilla española, ett glas vin. Solen hade gått i moln. Duvorna lyfte och flög i ett sus av vingar över det vidsträckta torget med dess kafébord och stolar. Fågelflocken liknade ett stort regn som steg rakt upp i himlen. Hon lutade huvudet bakåt och följde den med blicken.

EL PAÍS:

ett dödsfall fångade hennes uppmärksamhet. Lluis Rosales, García Lorcas gode vän och eventuelle angivare, hade gått ur tiden. Det var hos denne man

Lorca befann sig när männen från guardia civil anlände, de som sedan sköt honom i anusöppningen för att han var homosexuell.

EN DRÖM

på hotellrummet i Madrid sista natten. Den var uppskakande och våldsam. Hon mindes vid uppvaknandet bara en liten del av den: Hon satte in en annons i tidningen, det var moderns våning som skulle säljas. När det var gjort ringde hon till sjukhuset och fick beskedet att modern dött för fyra dagar sedan tillsammans med tre andra och redan blivit begraven med dem. Ingen hade meddelat henne att modern var död. Det blev tomt i henne och var det ännu vid uppvaknandet. Vilka dog tillsammans med modern? Båda hennes föräldrar var redan döda, men fyra var de i hennes tidigt splittrade barndomsfamilj. Hon tänkte att hon måste ringa sin syster när hon kom hem.

ÖVERGE

är svårt. Kanske hade han övergett henne för länge

sen utan att hon märkt det? Han ville inte överge henne. Han upprepade det i telefon och i brev. Han ville det inte, han var bara tvungen. Han återvände. Han lämnade henne på nytt. Helgonens oskulds- fulla renhet. Men hon var inget helgon. Hon gröp- tes ur, höll på att utplånas, förstelnades och lam- slogs av kärleken. Den var ohygglig, hon bad om förskoning. Profesor Falkhom rådde henne att helt enkelt göra slut på vansinnet.

MÄNNEN.

Fadern. Många gånger har hon haft lust att skriva om sin far i hopp om att förstå männen bättre. När han låg på sin dödsbädd påbörjade hon en dag- bok, den blev över hundra sidor lång. Hon lade den åt sidan eftersom den inte hjälpte henne att förstå någonting. Flera gånger försökte hon till- sammans med systern reda ut när han egentligen lämnade dem. Hågkomsterna var diffusa, egen- domligt nebulösa. Föräldrarna skildes inte. Fadern flyttade bara ut från hemmet. Det var någon gång under hennes tonår. I nära tio år levde han i ett anspråkslöst rum, egen ingång, men utan toalett.

Döttrarna besökte honom, alltid i hemlighet. Till modern kunde man inte säga något om dessa besök. Allt var ett provisorium, en lång väntan på en lösning. Kanske skulle han komma tillbaka. Man visste inte. Man cyklade till honom med bultande hjärta. Man sprang uppför trapporna, fem stycken. Om han öppnade fylldes ens inre av ljus. Ingen låtsades om att han flyttat. När människor ringde hem och frågade efter honom uppgav de numret till hans arbete. Modern drog över dem på sin sida: fadern var en svikare, en fegling, ingen man. Vem tordes säga emot. I hemlighet fortsatte döttrarna att älska honom. Denne älskansvärde man med sitt något flytande imperium var sina döttrars fasta punkt. Livets centrum. Och senare, när de blivit äldre, den grundläggande gåtan: mannens flykt från kvinnorna. Mellan kvinnorna. De ville inte göra sin far missnöjd. De ville vara sådana som han önskade dem. Hur skall kvinnan vara? En gång nämnde fadern det: A BIG CIGAR. En stor cigarr skall kvinnan vara, mäktig, någon som bröstar sig, någon som vet hur man hanterar männen. Och hur blir man en sådan? Kvinnan har ett sår, tänkte hon, och kanske är såret det som skrämmer mannen. Hon måste dölja sitt sår, det är för mannens skull, för att han skall slippa sin fruktan, eller är det avsmak? Man visste inte. Hur skulle man kunna veta. Provisoriet drog ut på tiden. Ett år gick, sedan två, sedan fem och sex. Varje julafton kom han hem med en kappsäck på cykeln; i den fanns julklapparna och julspriten. Spänningarna under dessa jular var förfärliga, de hade alla huvudvärk efteråt och det tog veckor att återhämta sig. De växte upp i två världar, skilda åt genom vattentäta skott: den i vilken äktenskapet mellan föräldrarna fanns, och den verkliga som ingen kunde ge ord åt. Fadern umgicks med andra kvinnor, naturligtvis gjorde han det. Vid döttrarnas besök talade han i lättsam ton om sina väninnor. Det framgick att han var uppskattad bland kvinnorna. Han räknade med sina döttrars förtroende.

KVINNORNA.

Modern. I efterhand, många år senare, tycker hon sig förstå moderns situation, och varför hon inte lyckades göra något åt den: hade det inte med såret att göra, det verkligt djupa, det som löper över

kvinnans karta som en ravin, genom århundra-
dena.

BREVET.

Det blev svårare under åren som gick medan detta
provisorium varade att urskilja sitt eget ansikte i
spegeln: det liknade mest en suddig fläck. Dröm-
marna, återkommande, om att försöka skriva sitt
namn på ett papper, men bläcket i pennan var vitt
och inget syntes. Hon tog studenten, hon flyttade
hemifrån. Man måste, tänkte hon, själv kunna välja
vem man vill vara: en kvinna utan sår. Lögn och
sanning, verklighet och fantasi; allt var hopblandat.
Osäkerheten spred sig som dimmor i dalen när det
kvällas: på allt, på hur man skulle leva, på förhål-
landet mellan könen. Skuldkänslorna över att ha
övergett sin mor, liksom sin yngre syster, höll på
att krossa henne. En dag, det var på det sjunde eller
åttonde året sedan han flyttat, skrev hon ett brev
till sin far. Kunde han överväga att fatta ett beslut?
Om han nu ville skiljas från deras mor fann hans
döttrar det naturligt. Någon form av klarhet, vil-
ken som helst, skulle vara bäst för dem alla. Ingen

annan än han kunde ge den. Hon ville inte såra sin far. Men fadern blev upprörd. Han svarade att han inte kunde finna sig i att någon blandade sig i hans angelägenheter. Hon hade kränkt sin far; det var det sista hon ville. Under lång tid förblev förhållandet mellan dem kyligt. Att be honom fatta ett beslut, åtminstone att överväga möjligheten av att fatta ett beslut, upplevde han som ett intrång. Men var då inte hans angelägenheter i någon mån deras? De hade alla blivit hängande i hans provisorium. Hur såg sanningen ut? Det visste hon inte. Kanske hade fadern sina skäl som hon inte kände till. Kanske hade han tvekat att skilja sig för döttrarnas skull? Kanske hade han hoppats på ett mirakel, på att förhållandet till hustrun skulle förändras, bli bra? I efterhand uteslöt hon det inte. Inte heller att den position han hade intagit, mellan kvinnorna, oåtkomlig för den ena på grund av den andra, passade honom. Strax efter brevet inledde han emellertid, som om han lytt sin äldsta dotter, skilsmässan. Kort därefter var han omgift, med en viljestark kvinna. Kanske fann han henne vara en stor cigarr? Åtskilliga år senare försökte han ta sig ur sitt andra äktenskap och sökte då sina döttrars hjälp. Han misslyckades. Han var försvagad av flera hjärnblödningar. Hans nya och starka hustru satte effektivt stopp för det. Döttrarna fick bära skuld för mycket. Faderns öde ger inga besked, varken i livet eller i döden.

MIRÓ:

sista dagen i Madrid återser hon hans måleri som hon älskar. Så borde människan vara. Ett lekande barn. Det ansvar hon själv tagit på sig i livet, eller som lagts på henne, är motsatsen: tyngd. Hur förlåta sig själv för att man blivit den man är?

GRADERINGAR.

Kanske var det hennes far som var den hjälplöse mannen i riddarrustningen i hennes augustidröm? Nog måste han ha förlåtit henne för brevet, hon kan inte tro annat. Men då minns hon något annat, det är medan hon packar sin väska på hotellrummet i Madrid. När han låg död på bårhuset tillbragte hon en kväll hos hans hustru. Jag borde kanske inte säga dig detta, sade faderns hustru, men du var inte din fars favorit. Det var den yngsta, det berodde på att hon aldrig sade emot honom. Hon lade sig aldrig i hans angelägenheter. Det gjorde däremot du, det tålde han inte, han blev rädd för dig. Och så var det aborten. Den skämdes han för.

SADE EMOT

sin far, det gjorde hon knappt en enda gång under hans levnad. Hon protesterade, det är sant, några gånger när hans svaghet försatte henne i omöjliga situationer gentemot modern; men alltid försiktigt, alltid mån om att inte såra honom. Hur skall en dotter vara mot sin far?

ABORTEN

med koksalt var plågsam. Den tog mer än ett dygn. I förtvivlan, söndersliten och utblottad, med modern som grät över sin skilsmässa vid sängkanten, skrev dottern till sin far från sjukhuset och bad att få låna pengar, en mycket liten summa pengar, till hyran. Fadern svarade med att sända en magnifik blomsterbukett. Inga pengar. Inte ett öre.

MÄNNEN:

alltid på flykt från kvinnorna. Man måste skydda dem från kvinnorna som är så farliga, som säger emot, som gör aborter som fyller dem med skam. Hon smäller hårt igen locket till resväskan på hotellrummet i Madrid.

ALL JOURNEYS HAVE SECRET DESTINATIONS
OF WHICH THE TRAVELLER IS UNAWARE.

Under flygplansvingen såg hon sin födelsestad skimra som en ljuskrona i mörkret. Staden var omgjordad av pärlband, motorvägarnas gnistrande skönhet. Hon skrev av meningen ur boken av Martin Buber. Hon visste inte vart resan ledde. Hon hoppades att det fanns ett hemligt mål. Hon stoppade ner anteckningshäftet medan planet sänkte sig mot Arlanda. De små häften i vilka hon genom åren skrivit ner tankar och citat ur böcker hon läst låg i en stor packe ovanpå en bokhylla i sovrummet och samlade damm. Hon borde en dag läsa dem.

LJUSET.

Så fort hon tänt ljuset i tamburen insåg hon att någon varit inne i lägenheten medan hon var borta. Det syntes inga spår. Tidningar och post låg orörda nedanför brevinkastet. Spegeln hängde lika snett som vanligt. Hon visste inte var den starka känslan av närvaro kom ifrån. Det hade alltid varit så. I hela sitt liv har hon haft denna intuitiva förmåga. Ibland skrämde den henne. Hon lämnade resväskan på tamburgolvet och tände, fylld av onda aningar, taklampan i vardagsrummet. På matbordet stod ett fång röda rosor. Vid sängkanten fanns också blommor, astrar. Det hade inte fallit henne in att kräva nyckeln av honom när han flyttade. Hon tänkte att hon måste byta lås. Situationen var absurd. Allt var absurt. Rosorna, en beröring: hon blev varm i hela kroppen. Därefter fick hon en känsla av att golvet höjde sig mot henne som för att slå till. Rosorna, det var grymt. Bäste *profesor*, ge mig ett råd. I samma ögonblick insåg hon att profesor Falkhom i Madrid sagt henne allt vad han hade att säga. Hon packade upp flygwhiskyn ur resväskan. Fast det var sent satte hon på musik,

Bach, Johannespassionen. Hon tände ett stearinljus. Hon lade sig på mattan. Det var hennes avsikt att bli berusad, mycket berusad, eftersom hon nu måste kunna se klart. Om denna triangel skulle brytas måste hon själv göra det. Frampå natten, hon var ganska ostadig på benen, hämtade hon sitt anteckningshäfte ur väskan i tamburen. Hon läste noga sin skildring av drömmen från augusti, den som hade skakat henne på ett särskilt sätt. Petrus ord av förnekelse – tre gånger förnekar Petrus kärleken – drabbade henne så att hon fick lägga anteckningshäftet åt sidan. Hon låg på rygg på mattan med armarna under nacken och såg upp i det vita taket där skuggorna liknade oroliga monster. Hennes hjärta bultade. Flaskan var redan till hälften tömd. En sak begrep hon: mannen i den skramlande riddarrustningen som kom och for i himlen var inte hennes far. Inte någon annan man heller. Människan i rustningen var hon själv. Ju duktigare hon försökt att vara, ju mer hon försökt klara av, desto fastare hade rustningen vuxit runt henne. Nu höll hon på att dö därinne.

ROSORNA:

hon såg dem inte klart längre. Hon skulle få lov
att krypa till sängen. Innanför berusningen var hon
glasklar. En människa som hon var omöjlig att äls-
ka. Man tar inte gärna en rustning i sina armar.
Det var inte hennes fel att allt blivit så. Det var
ingens fel. Om hon åtminstone hade kunnat gråta.
Hon behövde inte krypa, väggarna erbjöd vänligt
sina tjänster. Hon somnade innan hon hann klä av
sig.

ATT VARA KVINNA.

Männen var kanske rädda för kvinnorna. Somliga
män. För somliga kvinnor. Det var emellertid en
västanfläkt i jämförelse med hennes fruktan för sitt
eget kön. Moderns angrepp på henne i den sår-
baraste åldern släppte inte sitt grepp. Att hon höll
på att bli kvinna hade utlöst en vrede hos modern,
kanske var det förtvivlan, ja säkert var det förtviv-
lan. Den fick dottern att fyllas av skam: över brös-
ten som växte, över blodet som kom i underbyxor-
na, allt det som hon inte kunde göra något åt.

ARTHUR RIMBAUD OM SIN MOR.

Hon satt i sitt torn och läste Arthur Rimbaud, alla dikterna, också prosapoemen om hans vinter i helvetet. Det var söndag. Hon hörde kyrkklockorna dåna utanför fönstren. Senare slöts glipan mellan himmel och jord och det var natt. En mun av mörker, skrev Rimbaud om modern i Charleville.

Modern, det farligaste av allt.

UNE MÈRE AUSSI FLEXIBLE QUE SOIXANTE-TREIZE ADMINISTRATIONS À CASQUETTE DE PLOMB.

En mor, lika orubblig som sjuttiotre bepansrade förvaltningar, skrev han också om sin hårda mor. Vägen till kvinnorna var spärrad för den unge pojke som bar namnet Arthur Rimbaud, också LA CAMARADERIE, vänskapen. Och förhållandet till männen? Hon letade fram sitt slitna exemplar av Enid Starkies biografi ur bokhyllan. Arthur Rimbauds far var löjtnant, av eftermälena att döma sympatisk och omtyckt av alla. Dekorerad efter striderna mot sultanen av Marocko. Språkintresserad. Översatte Koranen. Lämnade hemmet när pojken var sex och visade sig aldrig mer. När Rimbaud var sexton ägde den grymma våldtäkten mot den faderlöse rum, av soldaterna i barackerna vid rue de Babylone, det var strax innan Kommunen utropades. I Paris rådde kaos. Pojken som rymt från sin mor strök omkring på gatorna utan en sou. Enligt Starkie reflekterar en av dikterna händelsen.

IHTYPHALLIQUES, PIOUPIESQUES

erigerade kukar, soldatesk, tobaksstrålar och hån, och poeten bönfaller att någon måtte rena hans hjärta. Den ende vännen, hans beundrade unge lärare Izambard, förstår inte vad han talar om utan hånar språkbruket. Våldtäkten, den avgörande händelsen, skriver Starkie. Barndomen definitivt slut. Vänskapen med Izambard också. Den nyss så välartade skolgossen som fått premier och utmärkelser tillbringar dagarna på kaféerna i Charleville, smutsig och grov i mun. För skabrösa fräckheter som roar karlarna runt bardisken betalas han med konjak och öl. Ensam på biblioteket försjunker han i kabbalan, i mystiken, i magin och alkemin. Verklighetsflykt. Resan går nu rakt in mot det inre. Så föds siaren, LE VOYANT, som inte bara skådar Gud utan själv sammansmälter med Honom. Helighetenas helighet. Enheten, i vilken de tiotusen tingen, skingrade i världen, utströdda och splittrade, sönderrivna och lösslitna, kan sammanfogas. En himlastormande inflation, kan man säga, hos den faderlöse, men så råkade han nu vara ett språkligt geni. Vagabonderiet och tiden med Verlaine följer. Ja, med den veke och opålitlige och gråtande älskaren. Och den febriga dialogen mellan himlen och helvetet, mellan den fåvitska jungfrun och mörkrets furste, avbryts av utrop som från ett plågat barn:

MIN GUD, BARMHÄRTIGHET,
GÖM UNDAN MIG,
JAG UPPFÖR MIG JU SÅ ILLA!

Orden ur denne pojkes mun, han som mellan sitt sjuttonde och nittonde år revolutionerade poesin, sveder ännu med eldslågor. Och de ohyggliga, fasansfulla åren i Afrika som skall följa: en penitens, en avbön för inflationen. Också en bön om förlåtelse för de våldsamma dikterna. Han skrev aldrig flera. Han försökte återupprätta sig i sin mors ögon: bli duglig, en man. Guldet, det verkliga, skall tvingas avge det värde som han sökt hos symbolerna. Ett experiment i verklighet, men det utfaller illa. Nu följer de tröstlösa och redan från början misslyckade försöken att samla rikedom: karavanerna, vapensmugglingen, de felslagna expeditionerna, kanske också handeln med slavar. Ingenting lyckas honom. Ensamheten härjar det inre med hagelbyar. Han försöker låta trösterik i breven till Vitalie, sin mor: Jag är väl ansedd här, jag skall bara samla så mycket guld att jag kan komma hem, gifta mig och få barn. Han unnar sig ingenting. Inte ens kläder under den kalla vintersäsongen på höglandet. När han tror att han äntligen är i färd med att bärga ett litet kapital drabbar benrötan. Han försöker se bort från smärtorna. Han biter ihop. Han lindar sitt ben. Han utsätter sig för än större ansträngningar. Han tror att det skall gå över. Till slut står det klart för honom att det inte går över. Helvetesvandringen ner till somaliska kusten då han bärs på båren som han själv konstruerat, under vidriga förhållanden, i flera veckor, i slagregn, i brännhetta – hon förmår knappt läsa om den. Inte heller om amputationen av benet i Marseille. Han törstar efter kärlek. Han är som ett barn inför sin mor som kommer på besök. Och den sista deliriska resan till Charleville, då den yngre systern ägnar alla sina krafter åt att ta hand om sin förlupne och beundrade bror. Han är nästan borta, sitter i sin stol om dagarna, mumlande i yrsel. Han stiger benlös upp ur sängen mitt i natten och faller i golvet. Därefter, när han forslats tillbaka till sjukhuset som ett slaktdjur, kommer paralysin. Döden inträffar tre veckor efter trettiosjuårsdagen. Kvar av detta liv finns bara dikterna av en tonåring som i ofattbar sensibilitet fann svindlande bilder, yrselbilder, konkreta, exakta, för kärlekens irrvägar, könens gåtfullhet, livets obeskrivliga grymhet och de många oförenliga liven inom oss, slutligen för den osläckliga törsten efter den Gud som förnuftet förvägrade honom. Inte bara hans dikter utan hans levnadsöde har följt henne genom åren.

TELEFONEN.

När hon lyfte luren, det var natt, fick hon inget
annat än tystnad i örat. Telefonen var trasig. Lika
bra. Hon var onåbar, kunde heller inte ringa till
någon. Utanför fönstren ett stjärnlöst mörker.

HARAR.

Hon reste med den lilla järnvägen från Addis Abeba
mot Djibouti vid somaliska kusten. Hon fick säll-
skap av en ung man, en antropolog som hon mött
i provinsen Kaffa. De sov över i ett cementerat rum
under en rostig fläkt i Diredawa. På morgonen stark
kyla. De fann ingenting att äta, däremot gott om
försäljare som bjöd ut kontraband, mest armbands-
klockor och cigarretter. I luften låg en doft av kol-
rök. De hyrde en bil med förare och såg, efter en
skakig färd över höglandet, moskéns vita torn höja
sig över de vita stadsmurarna mot en skarpt rosa
himmel. Detta var staden där Rimbaud haft sin
torftiga handelsstation. Den förste europé som tog
sig in i Harar, trettio år före Rimbaud, var upp-
täcktsresanden Richard Burton, förklädd till kvin-

na. Han stannade inte länge, Rimbaud var den förste bofaste europén; en mycket from man, skrev någon i Harar senare, som inte sparade sig någon möda för att hjälpa andra. Själv var hon under resan till Harar också förklädd till kvinna: gravid i sjunde månaden. Förklädd, varför tänker hon så? Därför att kvinnor som reser ensamma i världen i sjunde månaden har en skruv lös. Hon kände i stark sinnesrörelse barnet sparka under sina händer medan hon sökte spår efter Rimbaud. Hon klev uppför trapporna till hus där han påstods ha bott. På varje våningsplan låg hostande och sjuka människor under smutsiga trasor. Hon gick omkring på marknadsplatsen där de hopkrupna gestalterna i vita bomullsskynken vid sina varor liknade fotografierna som Rimbaud tagit. Andra spår efter honom fann hon inte. Han hade inte efterlämnat några. Solljuset mot de vita murarna bultade som hjärtslag. Barnets far var kvar i Stockholm. Han hade motsatt sig hennes resa till Afrika. Inte för att göra honom emot, utan för att hon ville resa, for hon. Vilken styvnackad förvirring hos denna unga blivande mor.

DET FÖREFÖLL MIG TROLIGT ATT VARJE LEVANDE VARELSE HADE FLERA LIV...

skrev poeten. Hon reste till Harar i ett av sina liv, rymde nära nog dit, som om det var möjligt att leva flera liv inne i ett enda. Hennes misstag var kanske utan andra jämförelser detsamma som poetens: att tro att man finner gåtans lösning i den yttre världen. Från Harar begav hon sig ensam mot norr. Hon stod en eftermiddag med sin mage utanför den amerikanska militärbasen i Asmara. KAGNEW STATION. Höga järngrindar. Tiggare. Amerikanska soldater med kpist över axeln visiterade personalen, bland dem många ättlingar till Mussolinis soldater som stannat kvar efter den italienska ockupationen. Den gravida europeiskans försök att ta sig in bakom järngrindarna avvisades. Från Asmara tog hon bussen till Massawa vid Röda havet. Serpentinvägar, skarpt etsade bergformationer, strimmor av silver i skyn. Haile Selassies soldater hejdade med jämna mellanrum bussen för att kroppsvisitera passagerarna under sin jakt efter vapen. Kriget mot den eritreanska gerillan pågick nattetid. Soldaterna såg inte åt den gravida europei-

skan. Ingen gjorde henne något ont. I Massawa
mötte hon två unga amerikaner från Kagnew, yngre
än hon. De hyrde en roddbåt, med en svartbränd
man vid årorna. De vandrade en het dag över mju-
ka sandrevlar under solen och fångade musslor.
Himlen var blå som kobolt. Under denna himmel
hade Rimbaud också vistats. Till Massawa kom
han från Aden. Han kvarhölls av den franske kon-
suln som fann hans yttre misstänkt: de slitna klä-
derna, de härjade anletsdragen. Själv låg hon stödd
på armbågen i sängen på ett gammalt italienskt
kolonialhotell i hamnen, en gång elegant, nu myc-
ket ruffigt, och läste i Enid Starkies biografi. Mest
låg hon stilla med slutna ögon. Det var ofattbart
hett. Solen slickade fönstrets trasiga fönsterluckor.
Fläkten hade gett upp andan. Under handflatan
kände hon barnet sparka. Hon var lycklig.

MÅNGA GÅNGER HÄNDE DET MIG ATT JAG
TALADE HÖGT MED ETT ÖGONBLICK AV DERAS
ANDRA LIV...

skrev poeten. Hon hade ofta gjort det. Hon hade
talat med ögonblick av de andras liv som de själva

68

inte ville kännas vid. Hon hade urskilt vinddrag, strömkantringar och skiftningar som de kanske inte ens anade hos sig själva, och blivit bortstött. Hon var lättsårad. Hon försvarade sig obalanserat och häftigt, och mot vad? Hon kände sig oälskad. Mannen som skulle bli hennes barns far såg åt sidan när hon berättade att hon var havande. Han ryckte på axlarna. Du bestämmer själv. Hon ville inte visa sin besvikelse. Hon visste inte hur man gör för att visa besvikelse. När illamåendet under första hälften av graviditeten gått över for hon till Afrika.

DEN DÄR HERRN VET INTE VAD HAN GÖR, HAN ÄR EN ÄNGEL...

skrev poeten. Alltför många människor är änglar. De vet inte vad de gör. Hennes far var en ängel. Kanske också hennes barns far. Nej, inte han. Han visste vad han gjorde. Han mötte henne inte på flygplatsen. Hon stod i flyghallen på Arlanda med sin stora pappväska och sin tunga mage. Hon hade längtat efter honom. Tårarna steg bakom ögonlocken. Hon hade sig själv att skylla. Hon hade rest mot hans vilja. Hon skrev en serie artiklar om Etiopien: om den ohyggliga fattigdomen, om kriget i norr. Om Rimbaud skrev hon inte. Han var en hemlighet. Ett mantra. I samma ögonblick som den sista artikeln var färdig gick vattnet. Hon kände sig död inombords. Varför kunde hon inte bara kasta sig på marken, slita sitt hår och skrika av förtvivlan över att inte vara älskad, som andra kvinnor, normala kvinnor?

MORALEN ÄR EN SVAGHET HOS HJÄRNAN...

skrev poeten. Medan oktober långsamt äntrade novembers likvagn tyckte hon sig till fullo förstå vad poeten menade.

PAREN AV MOTSATSER

bygger upp tillvaron. Värmen har kylan. Ljuset har mörkret. Människan har den andre. Om inte motsatserna fanns upphörde livets rörelser. Och tiden. Men motsatserna är inte alltid där man tror. I mörkret bor ett säreget ljus. I det ena könet bor också det andra. I entydigheten finns bara döden.

lockar med motsatsernas upphävande. Den vidgar oss mot okända dimensioner. De andra liv som vi också äger flockas strax vid medvetandets gräns och bultar på. Allt tycks plötsligt möjligt. Vi faller rakt ner i den andre som i en brunn. Den andres musik spelar i oss. Den andre tycks äga en märkvärdig nyckel till oss; hur länge har vi inte saknat den! Vi grips av tacksamhet, vi befrias ur jagets trånga bur. Där, i vårt fängsel, var vi avskurna, nu blir vi helade. Så hade hon förälskat sig i Jacob. Det var ingen tvekan om att han hade överväldigats av en förälskelse av det slaget, nu tyvärr inte i henne, i en annan kvinna. Vem var hon att förebrå honom för att han sökte sig till andra liv som han också hade hemortsrätt i? Hon förebrådde honom inte. Det gjorde bara så förbannat ont. Han släppte henne inte. Ändå stod hon ensam kvar, uppfläkt och flådd, och vad fick hon syn på? Sig själv, en skramlande rustning, på stort avstånd från de levande. Gode Gud, ge mig vatten att dricka.

*JUNGFRU! AV TÖRST EFTER VATTEN UR DINA
HÄNDER...*

skrev Gunnar Ekelöf, Rimbauds uttolkare, men
hon kunde inte läsa mer. Hon lämnade böckerna
och föll ner i sängen.

MÅNDAG.

Universitetet. Hon betraktade de unga ansiktena
runt seminariebordet. Hon for hem på det ska-
kande tåget i ett novembermörker som var så
ogenomträngligt svart att det fick henne att kippa
efter andan.

TELEFONEN

död.

GRANNEN

lika ensam som hon men gammal, över åttio, en
änkling med vattniga ögon och skrovlig näsa, inte
olik en gammal elefant, rasslade länge med säker-

hetskedjan innan han släppte in henne. Medan hon ringde till televerket tog han fram en flaska sherry ur skåpet. Det luktade instängt i hans våning. Hon hjälpte honom att röja av två stolar där det låg tidningar och kläder, och de drack sherry tillsammans vid hans köksbord. Och vad fanns det väl för försonande i ålderdomen, i åldrandet?

TIDNINGAR, TV.

I tidningarna talades det om att den amerikanske presidenten skulle kröna sin gärning med att häva belägringen av Sarajevo. De svenska skribenterna tog avstånd: det skulle bli ett fruktansvärt blodbad. Hon lät tidningen falla till golvet. I TV demonstrerades med hjälp av röda pilar den jugoslaviska arméns framryckningar. En serbisk general som liknade en maffiaboss log med gnistrande plomber i rutan. Hon stängde av. Hon ringde till mannen som hon älskade, hon kunde inte låta bli.

ROSORNA

tackade hon inte för. Han blev glad över att hon

ringde. Han blev obegripligt glad. Samtalet blev
långt. Han saknade henne. Och den andra? Hon
frågade och fick svar. De skulle resa bort tillsam-
mans, till New York. Hon frågade inte mer. Han
ville besöka henne innan han for. Det plågade ho-
nom att inte ha sett henne på länge, inte på flera
veckor. I kväll? Denne man, tänkte hon, är ett hel-
gon. Grym som en ängel. Profesor Falkhoms slitna
ansikte steg upp för hennes blick, den vinröda
halsduken, cigarretten av märket Fortuna. Hon
sade att de nu måste sätta punkt. Priset var för högt.
Smärtan drev vettet ur henne. Han teg. Han kunde
inte, sade han, säga emot. Det vore brottsligt och
han var ingen brottsling. Han led av den plåga han
gav henne, och också den andra. Att han älskade
två kvinnor hade i början tett sig som en ofattbar
rikedom. Senare kom plågan. Han ville inte skiljas,
inte från någon av dem. Hur han än handlade skulle
han drabbas av förlust. Också om han inte hand-
lade. Förlusten närmade sig obevekligt. Den ingav
honom fruktan. Hon visste att han var uppriktig.
Denne man, han ljög inte. De grät båda. Sedan var
det över. Hon satt vid telefonen och såg ut i novem-
bermörkret. På andra sidan viken syntes ett rödak-

74

tigt ljus som roterade och kastade dansande speglingar i det osynliga vattnet. Hon tände alla lampor. Våningen badade i ljus. Hon började dammsuga. Först när det ringt många signaler blev hon medveten om telefonen. Hon snubblade på dammsugarsladden och på de tiotusen tingen hon staplat i tamburen när hon skyndade dit för att svara. Först förstod hon inte vem det var. Rösten lät främmande.

BUT IT'S ME!

Hon kände inte igen rösten.

I HAVE BEEN CALLING FOR MORE THAN AN HOUR, WHOM THE HELL HAVE YOU BEEN TALKING TO FOR SO LONG?

Det tänkte hon inte berätta. Hon satte sig på pallen som hon lyft över bråten i tamburen. Emm. Hans ansikte framträdde långsamt som i framkallningsvätska. Han skrattade förtjust åt hennes förvirring. Nej, han hade inte emigrerat. Han var i Stockholm för att skriva en rapport om Balkan, hade fått svenska pengar för det. Han hoppades att de skulle kunna ses snart. I hans röst fanns lätthet och glädje. Hon kastade en blick på armbandsklockan. Det hade inte gått en halvtimme efter telefonsamtalet som avslutat äktenskapet, som gjort KAPUTT MIT DIESER EHE. Inom en halvtimme, *profesor?* tänkte hon, en smula misstroget.

TVÅ

En stad i Jugoslavien, hon visste inte säkert vilken, Belgrad, Zagreb, en flod rann genom den men samma flod flyter genom båda, hade hållit henne kvar för en natt. Grå sten, gul gatubelysning, löv. Senare det vita gryningsljuset i glipan bakom ett fördraget grönt draperi. En berättelse började och slutade där. Men någon har sagt att det inte finns någon början på berättelserna, inte heller något slut. Som en orm ligger berättelsen hoprullad i varje ögonblick av existensen. Här började det. Här slutade det. Så säger bara de fåkunniga.

SLUTET

försökte de uppskjuta. Hennes plan gick någon timme före hans. De gick långsamt genom den stora flyghallen, saluständ, affischer på väggarna, solljus som föll i vita fyrkanter över den grå betongen. De rörde inte vid varandra. De samtalade inte. De gick genom flyghallen, stannade till vid ståndet med jugoslavisk hemslöjd: dockor av trä och stickade bondstrumpor. De dröjde också ett ögonblick vid kiosken med alkohol, slivovits, gula och rosa likörer. Andra människor fanns runt dem. Deras ansikten och kroppar minns hon inte. Strax innan de skulle skiljas bad han att få låna hennes axelväska. Hon räckte honom den. Han lät sina fingrar glida över den, varje söm. Han vände på den. Han rörde vid den som om den var viktig för minnet. Främlingen bevarades i hennes minne i en strimma av sol medan han för ett ögonblick skärskådade hennes väska. Sedan stod de vid den gate genom vilken hon skulle passera för att inte återkomma, han med händerna i jeansjackan, hon med sitt boardingpass i handen. De rörde inte vid varandra. De kysste inte varandra. Hans ögon var nakna. De skildes och gick åt var sitt håll. När hon kastade en blick över axeln innan svängdörren slöt sig var han borta. Under de elva år som gått har de inte utbytt ett meddelande, inte ett vykort.

på en strand vid en flod. En blå boll. En pojke som
gråter. Denna bild bevarades också åt henne. Den
flackade till vid minnets yttersta gräns och tog
form. Fast han inte hade nämnt floden, bollen el-
ler pojken var hon övertygad om att bilden inne-
slöt hans mors död.

BEDRAGIT

tyckte hon inte att hon gjort när hon kom hem.
Mannen hon levde med hade gjort barn med en
annan. Hon talade inte med någon om främlingen
som hon älskat med mellan två flyg i en främmande
stad. En liten värme dröjde kvar, en känsla av tack-
samhet.

NOVEMBERSNÖ

regnblandad. Den föll över de nakna träden och
täckte för ett kort ögonblick asfalten och smälte
genast. Ett kapitel av livet var nu avslutat, det som
handlade om tro och äktenskap. Hon var tömd och

bedövad. Mannen som så oväntat ringde efter elva år ville hon inte träffa.

C'EST INCROYABLE

sade hennes astrologiskt intresserade väninna Marie i telefon från Paris. Man räknar i tvåtimmarspass för överskådlighetens skull, och om ett sådant ligger på gränsen till ett nytt får man sätta parentes runt det och gå vidare, men i ditt horoskop står tre parenteser under varandra. Alla planeterna utom två stod alltså rakt ovanför dig vid din födelse, och ditt tecken påverkas hastigt av dem alla, så att du i ena ögonblicket är i Merkurius och i nästa i Venus: allt flyter ihop i ditt liv, förstår du. Polariteten är satt ur spel. Jag kan inte säga mer om det här horoskopet på avstånd, du måste hitta någon hemma hos er som är mycket skicklig, men jag vet ingen så skicklig i Sverige. När jag funderar över horoskopet finns det ett ord jag får i tankarna, det är djup. Det finns ett svårtolkbart djup i ditt horoskop, det är allt jag kan säga.

BOKHANDELN.

Medan hon var inne i bokhandeln på universitetet bläddrade hon en stund, inte utan skamkänslor, i böckerna på hyllan för astrologi:

VÄRLDEN FLYTER I FISKEN

så som fisken flyter i oceanen. På ett oceaniskt vis flyter världens alla händelser in i fisken, både de som finns i samtiden och i historien, men också allt som har ägt rum under årmiljonerna före människan och skriften. Världens öden och människornas skiftande och motstridiga viljor flyter in i fisken och ut igen – genom gälarna förmodade hon och skrattade till – och den som är fisk får svårt att skilja på yttre och inre liksom mellan före och efter – hon slutade att skratta, hon nickade åt en kollega i bokhandeln och hoppades att det inte skulle bli något samtal. Fisken har svårt med alla gränsdragningar. Fiskens grundläggande problem är att överhuvudtaget frambringa den gräns bakom vilken fisken kan tätna till ett jag.

FREDAG.

Hon gick hastigt bland de många unga studenterna, ofattbart många, varifrån kom de?, mot den kombination av siffror och bokstäver som förde henne till modulen där sammanträdet skulle äga rum. Dessa sammanträden i det torra elektriska ljuset och i lukten av surnat automatkaffe var mördande. Men medan hon satt där steg ur minnet upp ett slags mycket små figurer i en bok som Emm hade visat henne i flyghallen. Små kvinnogestalter som man funnit i bergen, uråldriga och gåtfulla, kanske fruktbarhetsgudinnor. I samma ögonblick fick hon ljudet av vatten i öronen: ljud av vågor över ett låglänt klipplandskap, en långsam rörelse genom trånga passager av sten. De hade för ett ögonblick existerat i samma fostervatten, hon och främlingen. Hon fick anstränga sig för att följa med i redogörelsen för utvärderingarna som departementet krävde. Det hettade till i hennes handflata. Hennes hand hade slutit sig runt hans testiklar, två plommon ur en okänd lustgård. Generad drog hon åt sig handen som låg på bordet, synlig för alla.

med kärlek mellan människor lika gamla som ens
föräldrar, sade en av hennes studenter apropå en
novell av Singer. Man fick stå utomhus i snöblasket
och röka, nära en soptunna som liknade en latrin.
I ena örat bar pojken en ring, vid underläppen gläns-
te en sten. Pojken gjorde ingen hemlighet av sin
homosexualitet, han var stolt över den. Men kär-
lek mellan människor så gamla som hon själv fann
han äcklig. Han gav henne ett vänligt och avsikts-
löst leende och frågade om hon kunde förstå ho-
nom. Absolut, svarade hon och skrattade.

TISDAG.

Inne på restaurangen, hur skulle man översätta dess
namn? BABY DUCK, DUCKLING, fanns inga gäs-
ter. Borden med de rödrutiga dukarna var ännu
tomma, fast vackert dukade med glas och porslin
och levande ljus. Kyparen föreslog att hon skulle
ta en aperitif men hon föredrog att gå ut igen.
Varför hade hon valt en så avsides belägen restau-
rang? Hon önskade att han inte skulle dyka upp,

denne okände gestalt ur det förflutna. Mötet som förestod var varken mytiskt eller magiskt. Det pågick ett ohyggligt krig mitt i Europa. Bilder i TV av likkistor och gravar. Hon själv befann sig vid en nollpunkt i livet och hade inte lust att samtala med någon.

SLUTLÄGE.

Sin man som hon nyss bemött med förståelse och hjälpt ut ur äktenskapet önskade hon ont. En skur av voodoo-nålar tills han var fördriven och inte längre ägde del i henne. Hon blev häpen över styrkan i sin känsla.

RÄTTVISAN

som hon försökt att visa andra. Rättvisa – att ge de andra rätt ur deras perspektiv? Att sträva efter den objektiva synvinkeln? Fanns då ingen synvinkel som var hennes egen och som hon hade rätt att försvara? Dödstankar.

HORNSGATAN.

Det gråbruna mörkret över gatan påminde om en sorts vätska. Bilarna som passerade var nedsänkta i den, billyktorna skimrade ur djupen. Den gråhårige pensionären vid soptunnan rörde sig långsamt, i ultrarapid, eller som på havets botten där trycket är starkt. Han fann ett antal aluminiumburkar och lät dem falla ner i sin plastpåse. Hon svängde till höger, upp mot Hornstull.

RÄVEN.

En sommargryning för många år sen då Jacob och hon återvände till staden söderifrån i bil, barnet hade somnat i baksätet, steg solklotet upp över taken och spillde guld över hela den folktomma gatan. Då såg de en räv löpa över den. Luften lätt som eter. Frihet.

ÖGONEN

är ljusa som hon mindes. Han kommer rakt emot henne med öppen famn. Det är Emm, hon känner genast igen honom. Han har förändrats, de elva åren har inte gått spårlöst förbi: dragen är skarpare. Han är kraftigare än hon kom ihåg, tyngre i kroppen. Han bär en mörk ytterrock, mycket lång. Håret, en smula vått, faller över axlarna. Han har varit där i mycket god tid, gått flera gånger runt kvarteret. Hans rock luktar av väta. Hans kind är sträv. Hon har inte tagit miste, inte sett fel. Emm är en tilldragande, en intelligent, en aning melankolisk människa.

FRÄMLINGSKAP

en relativ känsla.

EN APERITIF?

Varför inte. Whisky, dry martini? Kyparen är ung och finnig och har ögon som liknar flyende moln, vid närmare eftersyn vackra. Två dry martini.

SAMTALSÄMNEN.

Och om vad skall man tala? Matsedeln. Kyparen

ger dem var sin, ett stort häfte med snirklad skrift. De sitter inte mitt emot varandra och inte bredvid varandra. De sitter vinkelrätt, han i soffan, hon med en halvvägg bakom sig. Hon kastar en blick mot hans håll över matsedeln. Då ler han mot henne. Vinet, franskt eller italienskt? Han överlåter åt henne att avgöra.

EURIPIDES HAR REDAN BESKRIVIT DET.

De åt. De drack vin. De samtalade, inte om något personligt. Om kriget. Om fredsavtalen, inte värda bläcket de undertecknas med. Han talar livligt och snabbt. Hans engelska är flytande. Han är kvick, då skrattar hon tacksamt. De talar om serberna, om kroaterna. Då blir han allvarligare. Han är serb, i varje fall på papperet, men vad betyder det? I likhet med andra som har protesterat mot kriget och regimen håller han på att mista sitt arbete, vid universitetet i Belgrad får hon veta. Att han snart inte har någon inkomst nämner han med ett tonfall som liknar lättsinne. Om annat talar han med upprördhet: om de nya ordböckerna som man nu trycker, serbisk-kroatiska, kroatisk-serbiska, för människor som aldrig haft annat än ett gemensamt språk. Hur förstå detta arkaiska hat hos serberna, brännandet av nationalbiblioteket, av bostadshus, av moskéer? Hon frågar det. Då skakar han på huvudet. Han ser nära nog förolämpad ut. Han snurrar vinglaset mellan fingrarna och glömmer att dricka. Euripides har redan beskrivit det, läs Backanterna. Civilisationen är bara en tunn hinna över människans vanvett, hennes arkaiska skräck. Han citerar W.B. Yeats: THINGS FALL APART; THE CENTRE CANNOT HOLD. Media underlåter att rapportera att det pågår ett folkmord. Nervositet i hans rörelser, inte att undra på. Hans skratt: mycket ljust. Då blev han gängligare, pojkaktigare.

ARE YOU CRAZY?

Hans ögon uppspärrade i oförställd häpnad över hennes befängda fråga. Tonfallet var så komiskt att hon blev tvungen att skratta. Han lutade sig över bordet och tände hennes cigarrett:

BUT ZAGREB, MY DEAR, ZAGREB IS DEEP DOWN IN CROATIA!

Hon visste var Zagreb låg, i varje fall på kartan. Hon visste bara inte om hon hade varit där; uppenbarligen inte. Hur skulle hon också kunna minnas något om anslutningsflyg till utlandet i före detta Jugoslavien för mer än ett decennium sedan. Emm skakade tyst på huvudet, förstummad av hennes ignorans. Sedan kastade han huvudet bakåt och skrattade länge och hjärtligt. Så långt geografin.

TELL ME ABOUT YOUR CHILDREN.

Han log, det var ett varmt leende. Han tog fram plånboken och visade fotografier. Restaurangen med de rödvita dukarna var nu fylld av människor. Den lilla pojken på fotografiet hade allvarliga ögon. Han var inte född när de möttes den där natten, inte ens påtänkt. Han sträckte upp sig inför kameran, redan medveten om sin betydelse, ende sonen, en smula tyngd av den. Äldsta dottern, fjorton, helt visst pappas flicka, mörka lockar, höll huvudet på sned och log. Hon var kokett, förtjusande och en liten aning fräck. Mellandottern, tolv, var blond och bar glasögon, en intellektuell med svårfångad blick. Detta var Emms barn. Hon lämnade tillbaka fotografierna. Han frågade inte henne om någonting. Kanske hade han glömt. Så långt familjen. Kyparen kom fram till deras bord för att höra att allt var till belåtenhet. Hon tog hand om notan. Hon insisterade på det.

SPRICKAN.

Att hon betalade skapade för ett kort ögonblick genans. Men de befann sig i hennes stad. Och valutan, tillade hon. Varför dessa förklaringar? Denna spricka: när uppstod den? Säkert för mycket länge sedan. Emm skakade på huvudet. Sedan ryckte han lätt på axlarna och sade att nästa gång var det hans tur. Han tände en ny cigarrett åt henne. Sorlet runt dem började stillna. Han ville älska med henne, det behövde inte sägas. En natt för elva år sedan, det förpliktar inte, hon tänkte inte göra något hon inte hade lust till. Hon fick en impuls att fråga hur gammal han var men hejdade sig, kanske för att minnet av profesor Falkhom snuddade vid henne och gjorde henne generad. Ålder hade hon inte tänkt på förra gången. Hon visste ingenting om honom, inget om hans minnen, inget om hans hustru. Hon kände sig tacksam över denna brist på kunskap. Hur förlänga oskulden? För varje ny insikt som människor får om varandra förvandlas något, flyttas och förändras. Hon önskade inte att något skulle förändras. Det vi vet om varandra förblindar oss. Det hon visste om Emm var inte mycket: hans sätt att röra sig, färgen på hans ögon, formen på hans testiklar, annat som det inte finns ord för. Mer ville hon inte heller veta. De gick sida vid sida genom parken. Han som inte ägde handskar stack händerna djupt i den stora rockens fickor. Det snöade nu, stora mjuka flingor. Han var barhuvad, flingorna föll i hans hår. Han försökte fånga dem på tungan och skrattade. Han tyckte om att gå fort, med utsträckta steg, som hon själv.

PENGAR.

Sprickan: den har med pengar att göra, också med pengar. Att tala om pengar undvek man i hennes föräldrahem, intill den punkt då de utlöste gräl som man ogärna vill minnas. Hon har sett till att hon haft pengar. Inte mycket men tillräckligt. Hyran, avbetalningarna; eftersom hon står för det upphör pengarna att bli ett problem för männen som hon lever med. Hon förmår inte tala om pengar, en hämning. I tystnaden har hennes vrede vuxit. Det har hänt att hon har känt sig utnyttjad – har det med pengarna att göra? Hon vet inte. Pengar, att inte kunna tala om dem, skapar verkligen problem. Till slut får mannen ett obetvingligt behov av att stå fri från denna kvinnas omsorger. Hon förstår det, ingen kan ta hand om henne, hon tillåter det inte. Man kommer inte åt henne. Omsorger? Man kunde lika gärna välja ett annat ord. Hon är inte snål, man kan inte påstå det. Hon är bara medveten om pengar. Hon vill stå fri, också från pengar, därför måste man ha tillräckligt av dem. Hon lever på ett sätt som gör männen som lever med henne en aning skuldfyllda: som om de vore lättfärdiga, slösaktiga och obetänksamma. Och så, när denna dugliga kvinna helt oväntat faller i gråt, tycker sig missförstådd, önskar sig barn, barn som de inte har tänkt sig, eller på sätt som inte går att formulera känner sig utnyttjad, blir de illa till mods: vad skall de ta sig till med henne?

YOU ARE VERY MUCH A WOMAN.
YOU KNOW IT, DON'T YOU?

De har druckit kaffe, också konjak. Emm har slagit sig ner i den gula fåtöljen med sitt glas i handen. Ljuset ur hans ögon faller över henne. När han säger att hon är en kvinna, i hög grad en kvinna, känner hon sig trött. Vad svarar man på sådant. Sedan blir hon glad. En kvinna tycker om att höra att hon är en kvinna. Under Emms ljusa blick känner hon sig oväntat som en av lerfigurerna som han skrapat fram ur jorden och en gång visat henne på fotografi i en bok. En andning ur jorden. Mycket gärna ikläder hon sig för ett ögonblick rollen av naturen, bergen, det persiska höglandet, den gröna Indiska oceanen, suset i träden. När häpnaden över den andre släcks, slocknar livet. Den andra människan. Det andra könet. Emm är en man. Han är i hög grad en man. Han är en man som uppskattar henne. Åtrån; hon väntade sig det inte. Den fyller henne och skötet blir tungt. Hon slutar att tänka, hon är tacksam att slippa. Människan är från födelseögonblicket nedsänkt i förundran, i ett grönt förunderligt vatten. Emms läppar är mjuka, hans händer är varma. Hon kupar sin hand runt hans kön och känner det växa.

GLÄDJE:

ja.

SNÖ.

Det upphör inte att snöa.

EXTASEN

är inte sammansmältningens ögonblick, man uppgår inte i den andre, man är sig själv, man är ensam, i närvaron av en annan mer sig själv än i något annat ögonblick.

BALKONGEN.

De har gått ut på den, nakna. Han ville det. Han inser ännu inte att han har kommit till ett arktiskt land. Han kommer att lära sig det och skaffa sig halsduk och handskar. De retirerar hastigt tillbaka in i våningen och in under det varma täcket. De har hört en människa yla bland höghusen, nerifrån stranden, bortom huskropparna, men de har inte kunnat urskilja människan som skrek. Bakom de luddiga snöflingorna förefaller himlen ljus, nästan vit.

CAN I REALLY TRUST YOU?

Hon ligger i sängen och lyssnar till Emms telefonsamtal i rummet bredvid. I hans röst finns glitter, ljusblänk:

WELL, I HOPE YOU HAVE CURTAINS AND THICK RUGS WHEREVER YOU ARE. IT'S A COLD NIGHT. NO, I NEVER USE MY OWN NAME WHEN CALLING A TAXI. MY REAL NAME IS ANDERSEN, A FAMOUS SWEDISH STORYTELLER, OR WAS HE DANISH? WITHIN FIVE MINUTES WILL SUIT ME FINE. IT WAS GREAT TO TALK WITH YOU, BUT CAN I REALLY TRUST YOU?

Det är sent, möjligen är det tidigt. Genom dörrspringan faller en strimma av ljus. Hon är varm, lemmarna är tunga, hon sover nästan medan hon lyssnar till hans konversation med den okända telefonisten i taxiväxeln. Han vill inte att hon skall stiga upp ur sängen för att följa honom till dörren. Han vill bevara henne i den varma igloon av lakan och täcken. Hon somnar nästan genast när ytter-dörren har fallit igen. Hon sover ännu, drömlöst och djupt, när väckarklockan ringer nästa morgon.

FEMTON ÅR.

De grälade om pengar, det var plågsamt. Fadern tyckte att språkresan till Lübeck för den äldsta dottern var onödig, han hade aldrig fått resa ut-omlands när han var ung. Modern, hon som rest mycket och lärt sig många språk, blev skarp i rös-ten och angrep. Vad grälade de om, en båtresa tvärsöver Östersjön? Deras äktenskap höll på att falla isär. De sårade varandra under täckmantel av en språkkurs för den äldsta dottern. Hon lyssnade vid köksbordet till sina föräldrar, alltmer pinad, nästan utom sig av plåga, ville inte längre resa, ville sjunka genom jorden, helst av allt utplånas, dö. Hennes far hade en älskarinna, hustrun till en vän i familjen, hon visste det, och vad visste modern? Året dessförinnan, då modern funnit hotellräkningen för ett dubbelrum i Köpenhamn i hans ficka och dängt den i bordet framför honom vred han bara undan huvudet och såg ut genom fönstret. Han svarade inte. Hans käkmuskler var spända, en åder vid tinningen bultade; han teg.

DÖTTRARNA.

De behövde honom. Utan honom hotade kaos. Men hans sätt att tiga, hans sätt att sticka huvudet i sanden, se åt sidan, var förvirrande. De tvangs ta moderns parti: han bedrog henne ju. Vilka slutsatser skulle man dra för det egna livet? Hon drog en, det var efter det förintande grälet om pengar inför resan till Lübeck: att aldrig mer ta emot pengar. Inte från någon av dem. Stå fri. Från det att hon fyllde sexton såg hon till att ha egna, genom feriearbeten, helgjobb. Tyvärr märkte de det inte, de var alltför upptagna av sitt eget sönderfall. Kanske började sprickan där. Ingen av dem såg ju sina barn, indragna som de var i sin dödskamp. I henne, den äldsta dottern, samlades vrede. Den doldes under annat. Viljan att stå fri, till exempel. Att aldrig be om något. Att aggressivt betala. Så blev hon ett monster av duglighet: alltid arbeta, aldrig unna sig vila, aldrig stå i skuld, veta att frihet kostar, också hur mycket. Också att vid minsta tecken på tvekan hos andra dra sig tillbaka. Bryta upp när man känner sig oönskad, när man finner sig oälskad. Men också när hon själv bröt upp drabbade de uppslitande känslorna av sorg henne. Denna kvinna står inte fri. Hon är infångad i ett nät av svårtolkade beroenden. Hon har ofantligt svårt att skiljas.

SEXTON ÅR.

Så gamla var också de två unga flickorna i hennes augustidröm: den ljusa folkviseflickan, den mörka och ktoniska med sitt sorgsna ansikte. Eftersom hon har drömt dem måste de vara delar av henne själv. Det är en förmiddag i november. Hon har mycket att göra, kursförberedelser, ett seminarium, en artikel som skall skrivas. Men hon får denna tanke och den faller rakt ner i henne som en sten i en brunn. Hon går fram och tillbaka i det grå ljuset i vardagsrummet. Hon är upprörd. Hjärtat slår som en hammare. Med den ljusa flickan var hennes man oskiljaktigt sammanlänkad i drömmen. Hon själv blev svartsjuk, rasande svartsjuk. Hon fylldes av en smärta som fick henne att vilja vråla högt. Hon avvisade mycket riktigt den ljusa flickans utsträckta hand. Men om denna flicka var en del av henne själv, den unga flicka hon en gång varit? Det går runt i huvudet. Hon rör sig rastlöst fram och åter över parketten och röker. I en människa trängs många liv, många jag, somliga av dem fördrivna. Med flickan hon varit en gång saknade hon numera all kontakt. Kanske var det henne som Jacob hade förälskat sig i? Det hade han i så fall inte haft mycket för. Den unga flickan visade sig alltmera sällan. Hon hade låtit sig kvävas under ansvarstaganden, verkliga eller inbillade. Av lojalitetskonflikter: hennes barn, männens barn ur tidigare förhållanden; försöken att vara rättvis; omöjliga situationer. År efter år av omöjliga val. Var det den unga flicka hon varit som Jacob inte ville överge, ännu älskade, fortsatte att söka när han kom hem för att sova med henne fast han älskade en annan? Hon satte sig i soffan, släckte cigarretten i det överfulla askfatet och lutade pannan i händerna. Plötsligt föreföll det henne självklart, helt oundvikligt, att han hade tvingats att söka efter den unga flickan på annat håll. Nu hade de rest till New York tillsammans. Mot den levande kvinnan med de vackra judiska ögonen fanns det verkligen skäl att känna svartsjuka. I stället var hon svartsjuk på en ung flicka i sin egen dröm. Det var bisarrt. Det var verkligen bisarrt. Och vem var den mörka, flickan med ansiktet i skugga? Sorgen hon försökt bortse från, smärtan hon inte hade velat veta av? Hon förnam en allt starkare yrsel. En stund tyckte hon sig vara nära en stor insikt. Den gled undan.

ATT SKRIVA.

Så länge datorn stod på, så länge det lätta surrande ljudet hördes, var det uthärdligt. När hon stängde av datorn och skärmen slocknade och det blev tyst fanns bara rastlösheten. För mycket vin, alltför många cigarretter.

FAXAR.

Telefonsamtalen från kontoret i Vasastan där Emm
arbetade och faxarna, ibland flera om dagen, var
en ljusglimt. Hans ord liknade fjärilar, oberäkne-
liga, gnistrande av en märkvärdig glädje.

I KNEW THIS WOULD HAPPEN.
YES, OH YES.
FOR YEARS I KNEW IT.

Hon bjöd hem honom på middag. Han klev obe-
svärat över de tiotusen tingen hon staplat i tambu-
ren. Han undrade inte över dem. Kanske fann han
det vara ett exotiskt sätt att lösa garderobsproblem
i de nordiska länderna. Han frågade inte om det,
inte om något. Han uppskattade att hon lagade mat
åt honom. Han stod i köket, en balkansk cowboy
i slitna stövlar, och lutade sig mot dörrposten, njöt
av att se henne skära lök. Hon tyckte om att laga
mat åt andra, hon gjorde sig möda. YES, OH YES.
Emms arm fångade in henne. De rullade runt i
sängen. Allt hade han vetat. Allt hade också blivit
precis som han föreställt sig. Hon kunde inte låta

bli att skratta åt honom. Han skämtade. Hon tyckte om det. Kanske menade han också allvar. Det tycker hon också om. Nära till skratt i Emms sällskap. Nära till lek. Vinden lade munnen till fönsterspringorna, det sjöng och ven runt höghuset. De låg stilla och lyssnade. Emm frågar inte, inte heller hon. Hos Emm råder nutid. Mycket behöver man inte veta om varandra, tillräckligt är nog. Men hon är nyfiken, hon kan till slut inte låta bli.

A MEMORY FROM YOUR CHILDHOOD?

Hon bad om det.

Emm tänkte efter en stund. En skallig sopran som repeterar en aria på en tom scen. Ett avlägset ljus ur ett dammigt fönster. En gammal man som med långsamma rörelser sopar en gård. Och den förföriska doften av parfymer och smink. Hans mor sitter framför spegeln, han själv i hennes knä. Minnet av denna doft. Den gav honom smak för flärd, påstod han, och för vissa sorters billiga filmer, och för omöjliga erotiska äventyr.

IS YOUR MOTHER DEAD?

Hon frågade det.

Han blev häpen. Då tillägger hon att hon tror att han nämnde sin mors död på restaurangen för elva år sedan. Han ser på henne en lång stund utan att svara. Han tror inte att han sagt något om sin mor. Men det är sant, hans mor är död, säger han sedan. Nej, hon dog inte när han var en liten pojke. Inte alls. Hans mor hade nyss dött när de möttes på flygplanet till Belgrad. Han kom från begravningshögtiden i Skopje. Det var möjligt att han nämnde det för elva år sedan, säger han; nu förvånar det honom.

DID YOUR MOTHER DROWN?

Hon frågar det.

Hon säger inget om bilden i sitt huvud: en kvinnas väska, en blå boll. Hon vet inte varifrån hon fått den. Den flackade till i huvudet bara. Ja, svarar Emm. Hans mor drunknade. Eller dränkte sig, lägger han till. Läkarundersökningen gav inte besked. Man fann hennes handväska på stranden, och först långt senare hennes kropp. När Emm har berättat detta ligger hon tyst en lång stund och ser ut i mörkret. Hon vet inte vad hon skall tro. Och den blå bollen? Den har han inte sagt något om. Hon frågar inte mer.

MODERN:

hennes egen. Ett snabbt rinnande vatten. Full av liv in i det sista. Begåvad. Alltid med cellon mellan knäna. Håret bakåtstruket från den breda pannan. Stråken lyftad. Och så den stora tonen ur cellon. Så vill hon helst minnas sin mor. Det vackra instrumentet. Ett mörker som vibrerar genom hela kroppen när man lyssnar, långt ner i magen. Hennes mor visade som barn prov på en ovanlig musikalitet, kostades på en dyr utbildning, var inriktad på framgång. Hon hade kanske att uppfylla en längtan som andra hyste, hennes föräldrar, hennes far: en dröm om att få ge uttryck. Stora förväntningar. Kanske för stora. Flickan med cellon blev rädd för höjder, rädd för framträdanden, rädd för publiken. Ångestattacker. Väggar som bågnade. Nerverna sviktade, hette det. Någonstans i ungdomen fanns en stor kärleksbesvikelse, man vet inte hur den såg ut. Många var charmerade av henne. Hon sade ja till en ung pojke som envist friade, intagen av hennes skönhet, av hennes glittrande allvar. Kanske också av cellon.

TILLVARONS MINSTA PARTIKLAR.

Han var inte musikalisk. Hans passion var en annan, de minsta partiklarna: fysiken. De hängav sig åt var sin passion. Den ena förstod inte den andras. De fick barn. De hade ont om pengar. Modern gav musiklektioner hemma. Hon var otålig. Hon orkade inte med sina elever. Hon grät ofta. Bara de som levde nära henne kände till hur ömtålig livsvävnaden var. Läran om energin i dess olika former är viktig för att förstå utvecklingen. Energin är oförstörbar. Den tar sig olika vägar. En stor energi, som celloflickans, kan vändas inåt, till förstörelse. Hon sökte efter något annat, något större, och vad fann hon? Betongväggar och barnskrik. En ångest som grep efter henne med skeletthänder.

Hon förstod inte varifrån den kom. Ingen annan heller. Inte den unge pojken hon gift sig med. Han försökte skämta bort den. Ibland gick det. Han var god, han var tålmodig, han var charmfull, han ville trösta. Det var efterkrigstid, en pragmatisk och förljugen framgångstid. Energin, det vill säga kärnfysiken, gjorde fadern efterfrågad. De flyttade mycket, nya skolor, nya omgivningar, och i varje flyttlass fanns cellon med. Den delade hytt med dem också på båten till Amerika. Han förblev en ung pojke. Kanske ville han vara det. Kanske fanns ingen annan utväg. Lidelse och passioner: han förhöll sig skeptisk. Ur människosjälen stiger mest dårskap, sade han, man får inte blicka för djupt ner i den brunnen. Han hade inga lidelser utöver sin egen, vetenskapen, men den uppslukade honom. Musik: han blev rastlös. Cellon var skrymmande och tog plats. Medan han vistades på sitt *Institute* satt hon med det stora instrumentet mellan knäna och spelade. Han kom hem, bredde ut sina papper över matbordet och försjönk i sina formler. Han hörde inte och såg inte. Dessa föräldrar, de levde verkligen i var sin värld. När hon ville att han skulle lyssna somnade han ofta. En

ton, vad är det? De grälade om det. Ett svängnings-
tal, sade fadern. Något som får själen att vibrera,
sade modern med alltmer upprört tonfall. Hon
kunde spela i timmar. Då glömde hon allt. Det var
värre när hon blev irriterad: ibland när hon vak-
nade upp ur musiken tycktes hon ha hamnat på en
plats där hon inte ville vistas. Ansiktet: slutet och
mörkt. Fadern var inte sådan. Han var tankspridd,
helt enkelt. Han gjorde frukost åt dem. Han lagade
middag. Då hände det att de hörde henne gråta
genom väggen, helt stilla, en gråt som ett regn. De
visste varför: hon kände sig misslyckad. Hon skrat-
tade också. Det får man inte glömma. Hon skrat-
tade ofta i Amerika. Hennes stora skratt drog dem
med sig, även fadern. De skrattade ikapp. De skrat-
tade som om de var tokiga. Åt vad som helst, bara
för att få skratta med henne. Döttrarna var inte
musikaliska, fann hon, i varje fall inte den äldsta;
det gjorde henne ont. Det var helt sant. Den äldsta
dottern tyckte inte om cellon. Den skrämde henne.
Men en gång, hon minns det väl, det var en gång
då hon hade feber och inte kunde gå till skolan,
låg hon i sängen i flera dagar och lyssnade till den.
Hon hade hög feber, ibland yrade hon. Plötsligt

hörde hon att cellon lät annorlunda än vanligt. Först kom en ton så stilla som en viskning. Den växte långsamt. Den svällde till en stor blå flod. Strax kom snabbare toner, nästan brådskande, de sprang upp och ner för en stege, de hoppade runt utan ordning och gjorde henne på nytt orolig. Men så märkte hon att cellon återvände till den blå tonen. Den hade inte försvunnit som hon trott. Den fanns kvar hela tiden, den blå och svällande floden, under de oregerliga vattenflödena. De svaldes av den stora floden. Hon fick för sig att modern spelade för henne, bara för henne: för att hon var sjuk. Hennes säng blev en båt, den gled på den blå floden. Hon såg stränder och vajande skogar och berg. Hon flöt och hon svävade. Men floden smalnade. Den blev till en liten fåra, och musiken tog slut i en snyftning. Hon lyssnade men det kom inget mer. Så vackert du spelar, sade hon till sin mamma som kom in i rummet. Bach, sade modern som om hon talat till en vuxen. Johann Sebastian Bach. Han är den störste av alla. Spela mer för mig, bad hon då. Moderns ögon blev mjuka. Lilla barn, sade hon. Då visste hon att hon hade gjort sin mamma glad. Det ville hon. Hela livet ville hon det. I USA var det bra, i det långa gröna huset, en barack närmast, med många halvtrappor av trä som ledde till likadana bostäder som deras. Runt dem fanns många likadana baracker, det var för forskare från hela världen och deras familjer. Modern fick vänner. Människor drogs till henne. Många kom fram till henne, till den stora och mörka kvinnan från Sverige. De hade hört henne spela. En cello hörs genom trossbottnar och väggar. De sade att de tyckte om att höra henne spela. De sade att hon var mycket skicklig. Då blev modern glad. Andra kom hem till dem. Det var professor Zielinski från Polen med sin fiol. Och fru van der Velde, som var gift med en kvantfysiker, och som före kriget hade spelat altfiol på operan i Wien. Medan mörkret föll satt de runt sina notställ i vardagsrummet. Ibland avbröt de sig och skrattade. Professor Zielinski knackade med stråken i notstället, och så spelade de på nytt. Det var Bach och Schubert och Schumann. Moderns ansikte var vackert. Det var som om blicken såg inåt, rakt in i henne själv. Ibland när modern lyssnade till de andra lät hon den ena handen vila mot cellons hals och den andra med stråken mot sitt knä, och

hon blundade, och cellons och hennes kropp blev
en enda. Men så öppnade hon plötsligt ögonen,
lyfte stråken, och höll sig beredd. Hon kastade med
nacken och i precis rätt ögonblick förenade hon
sig med de andra, och nu var hennes ansiktsuttryck
annorlunda, det var vilt, nästan skrämmande: hon
smälte helt och hållet samman med musiken. Fa-
dern kom hem och gick ut i köket. Han lade port-
följen på bordet och öppnade den stora kylskåps-
dörren och blinkade åt sina döttrar: De filar och
gnider därinne men kommer de egentligen någon
vart? Sådana minnen gör inte ont. Inte heller min-
net av den lille indiern som besökte fadern. När
professor Minakshisundaram tänkte hårt drog han
upp benen under sig och satte sig på huk på stol-
sitsen. När han tänkte mycket hårt tog han salt-
ströaren och slickade på den med sin långa röda
tunga. De skrattade i smyg åt honom, systern och
hon. En av tidens största matematiker, sade fadern.
Vägg i vägg bodde familjen Chow. Han var kines
och matematiker och hon kom från Tyskland och
var judinna. På sin underarm hade hon ett blåaktigt
telefonnummer. Så fick man reda på att det fun-
nits koncentrationsläger, att tyskarna hade bränt

judar. Barnen sprang ut och in i de gröna husen. Alla kände varandra. På sommarkvällarna satt de på trappan tillsammans med flickorna Chow och såg eldflugorna dansa i mörkret under träden. Allt var som det skulle. Från Amerika kom de till en trång våning i ett höghus i en förort till Stockholm. Inga vänner. Ont om musik. Höga hus på stort avstånd från varandra. Uppfläkt och sårig mark mellan byggnadsställningar. De gick till skolan, fadern till sitt arbete. Modern spelade ännu. Men det fanns ingen att spela med. Det hände att hon kastade cellon ifrån sig och grät. Hon var hjälplös inför demonerna. De anföll henne. Hon rådde inte på dem. Hon försökte göra annat, skriva dikter och noveller. Det dög hon inte till, sade hon. Hon hade inte dugt till någonting. Inte heller till mor. Tonerna som kom ur cellon var onda. Det var sant: de vrenskades och skar. Inne i modern fanns het lava, den kunde oväntat börja rinna. Man kunde omslutas av hettan eller dödas av den. Den äldsta dottern fick bröst och menstruation. Då blev modern hånfull och elak. Hennes tunga kunde bli vass som en kniv. Hon rådde inte för det. Hon visste inte själv vilka ord som kom ur hennes mun. Man kunde inte försvara sig mot henne, då gjorde man henne illa. Fadern var numera ofta bortrest. När han kom hem var hans ansikte stelare än förut. Modern angrep honom med sin hemskaste röst. Den var spetsig och kall. Den tycktes komma ur någon annan. Inte ur henne. Ur någon som råkade befinna sig på samma plats som hon. Den främmande rösten skar och rispade. Vad som helst kunde komma, man fick huka sig och ta skydd, parera och vika åt sidan. Denna röst visste inget om gränser. Döttrarna bönföll sin far att vara snäll mot henne, de gjorde det för sin egen skull, för att de var rädda. Fadern såg åt sidan. Vad kunde döttrarna veta om hans förtvivlan? Vad visste de om den stigande vreden som han dolde bakom sina vänliga skämt? Celloflickan han gift sig med hade han inte kunnat göra lycklig. Döttrarna trodde att de stod i hemligt förbund med honom, men hur skulle han kunna veta att de inte bildat en pakt med modern? En man i familjen. Han tyckte om att gå naken. Duscha med öppen badrumsdörr. Gymnastisera utan kläder i vardagsrummet. Han visade upp sig. Han flirtade med sina döttrar som nu började bli unga kvinnor. Då hände det att den främmande rösten helt tog modern i besittning. Efteråt grät hon. Fadern, en ängel, tog med sig döttrarna till stan för att hon skulle få vara i fred – till möten med andra kvinnor. Kanske var de hans älskarinnor. Hon vet inte när hon först fick tanken, hon slog genast bort den. De unnade fadern glädje. De tyckte synd om honom. Han var så utlämnad åt moderns häftighet, han såg ofta trött och ledsen ut. Med vissa omständigheter borde man tiga. Sanning och lögn, allt började blandas samman. Det fanns saker man visste om fadern som man inte borde veta. En gång när modern var borta, ett vilohem sades det, det var för nerverna, tog fadern hem sin väninna, den gladlynta hustrun till en kollega, och hennes lilla pojke. Efter en stund knackade Väninnan på dörren till rummet där hon satt och läste läxor och bad henne passa pojken. De hade något viktigt att tala om, hon och fadern. Hon satt i sitt rum med tvååringen i knät. Hon försökte berätta sagor för honom, sedan sjunga. Hon fick för sig att pojken var hennes fars. Hon skämdes för tanken. Pojken kinkade, han ville till sin mamma. Till slut fick han upp dörren och smet iväg. Hon sprang efter. De vuxna blev generade.

Själv fylldes hon av skam. Mest över sig själv: för att hon sett till att hon fick se det hon såg. Kort därefter, då modern var hemma igen, kom Väninnan och hennes man på middag till dem. Det var en vårkväll med ett tunt blått ljus mellan de grå höghusen. Modern hade lagat mat hela eftermiddagen. De vuxna satt i köket och åt och drack och talade med allt högre röster. Hon låg i sängen och hörde föräldrarna gräla genom väggen när gästerna hade gått. Modern var utom sig: hon ville ha reda på sanningen. Fadern svarade att hon som vanligt inbillade sig. Han lät uppgiven. Han var trött på att vara hennes sjuksköterska, sade han. Då blev det tyst. Dottern låg i sängen och lyssnade. Det fanns ingen hon litade på som på fadern. Nu ljög han. Det var nästan outhärdligt. Hon började tvivla på vad hon sett. Det var hon själv som var fylld av orenlighet, sade hon sig. Av smutsiga tankar. Sanningen halkade runt som en tvål i en tvålkopp. Faderns väninna dök upp igen med sonen, nu i sommarstugan i skärgården där de hyrde. Fadern och Väninnan skämtade högljutt vid middagen och flirtade öppet. Modern sade inget. Hon böjde huvudet över tallriken. Ibland såg hon upp. Hennes ögon var snabba och mörka blänk. Mitt i måltiden reste hon sig och gick utan ett ord. De två andra vuxna låtsades inte om något. En liten förstämning kanske. Sedan skrattade de igen. Efter måltiden gick hon upp till sin mor. Hon låg i sängen med en flaska sprit bredvid sig och en burk tabletter. Hon åt tablett efter tablett. Den jävla horan, sade hon. Och vad skulle dottern svara? Hålla med henne? Hjälpa sin far att ljuga? Hon slets itu. Hon försökte hindra modern från att äta fler tabletter. Då slog modern henne över handen. Hämta honom, sade hon. Väninnan och fadern stod med armarna om varandra i köket och mellan sig hade de pojken. Från det ögonblicket visste hon att pojken också var hennes fars. Medan pappan gick uppför trappan hjälpte hon Väninnan att plocka ihop. Då sade Väninnan att det var synd om henne, om dottern, som hade en mamma som var så sjuk. Hjärtat, mjukt som sirap, skyndade Väninnan till mötes för de vänliga ordens skull. Hon var inte van vid att någon tyckte synd om henne. Sedan svindlade det till i skallen inför grymheten. Hennes mor var inte sjuk. Det var de två, fadern och Väninnan, som gjorde henne sjuk genom att ljuga. Modern ljög aldrig, ur henne kom sanningen. På kvällen stod fadern i trädgården och grät med armarna runt ett plommonträd. Aldrig tidigare hade hon sett sin far gråta. Hon gick fram till honom. Det är konstigt, sade fadern, att vara fyrtio och och inte veta vem man är. Hon visste inte vad hon skulle svara.

Hennes hjärta värkte av kärlek till honom.

SANNING OCH LÖGN.

Kan en punkt vara både röd och blå? Ett filosofiskt problem. Fadern var en god människa, djupt oskuldsfull, en ängel. Hon har ursäktat honom i hela sitt liv eftersom hon har älskat honom. Men också sin mor har hon älskat, detta turbulenta och gnistrande vatten. Den äldsta dottern slets itu. Hon travade mellan dem som en liten häst, beredd att bära. En liten häst att lassa bördor på. Senare en kamel. Hon tog på sig deras olyckor. Det var för att förtjäna deras kärlek. De bad inte om det. Hon gjorde det ändå.

SKULDEN.

Han låg på sängen i hennes flickrum och förhörde henne på latinläxan. Hon satt vid skrivbordet. Han skämtade och hon skrattade gärna. Oväntat ryckte modern upp dörren. Och här ligger du och hånglar med din egen dotter också! Ytterdörren slog igen. Fadern lät den latinska grammatiken sjunka. Efter en stund sade dottern till sin far att han måste gå ut och leta rätt på henne. Fadern rörde sig inte. Efter en stund upprepade hon det. Då sade fadern: Jag vill inte. Han vred på huvudet. Hon minns alltför väl denna blick: ett plågat djurs. I blicken fanns också vrede, en bultande ilska, otäckt undergiven. Hon bet sig i läppen. Hon ångrade vad hon sagt. Men fadern reste sig och gick. Hon var skyldig. Både gentemot fadern och modern. Hon tvang sin far till något han inte ville. Modern hade kanske rätt: att hon hånglat med sin far utan att veta om det. Hon fylldes av äckel över sig själv. Sin kropp. Då kom bilden. Hon såg lansar klyva en skalle. Blodet sprutade. Hon pressade händerna mot ögonen men fick inte bort bilden. Hon dödade sin mor. Senare tänkte hon att huvudet var hennes eget. Men det var moderns. Hon ville slippa bilden. Den hade fastnat. Den kom tillbaka när hon minst av allt ville se den. För att slippa den vidriga bilden klöv hon sig. Ett stort område inne i henne täcktes av is. Ett tag efteråt flyttade fadern. Ingen fast mark kvar under fötterna. Slipprig lera bara. Hon tog studenten. Hon flyttade hemifrån. Långa perioder var allt grått. Alla färger tycktes ha slocknat. Hon studerade, det gick hyfsat, men inuti var hon bara grå, och ofta så rastlös att hon inte visste vad hon skulle ta sig till. Det spelade ingen roll vad som hände med henne. Hon brydde sig inte om det. Efter flera år skrev hon ett brev till sin far i hopp om att tillståndet skulle ta slut. Egentligen bönföll hon om att få leva. Det var ett insiktsfullt och klarögt brev av en ung flicka, fann hon när hon hittade det efter hans död.

ATT VÄXA OM SIN FAR:

en dotter kan ha svårt att inse att hon har gjort det. En far kan bli mycket sårad, också rädd.

ATT VÄXA OM SIN MOR:

det gjorde hon aldrig.

STRÖMMENS VATTEN

svart som bläck. De beskäftiga änderna simmade hit och dit nedanför Operan under öronbedövande tjatter. Det var kallt. Emm bar en halsduk nu, den var rutig, och hade skaffat sig handskar. De såg en svan landa i svärtan. Den drev upp en sky av gnistrande droppar mot himlen.

SANKT GÖRAN OCH DRAKEN.

Emm beundrade Notkes skulptur från 1489. Ett märkvärdigt skimmer fanns inne i kyrkan. Träet i skulpturerna glänste. Emm återvände gång på gång till jungfrun. Med händerna djupt i rockfickorna betraktade han henne: kringränd, försvarslös, i bön. I Emms rockficka Newsweek, artiklarna om lägren runt Banja Luka. De bar namn som Omarska och Manjaca. Ett obegripligt krig enligt de svenska tidningarna. Ingen Sankt Göran skulle ingripa. Jungfruns gyllene klädnad buktade under lübeckarens mejsel. Hennes hår svallade runt henne i stela lockar av guld. Emm släppte järngallret framför den bedjande kvinnan. Deras steg ekade i den tomma kyrkan.

KATARINAHISSEN.

De väntade på den sedan de gått utmed Skeppsbron där trafiken hindrat dem från att tala med varandra. Ännu låg ett skarpt citrongult ljusstråk över Lidingölandet. De såg det slockna.

STADENS BLÄNKANDE VATTEN

såg de uppifrån bron.

YOU GIVE ME PEACE.

Hon sade det till Emm. Han lade armen runt hennes midja. Han strök henne över kinden, förundrad, påstod han, över att han kunde ge någon människa frid. Det var mycket kallt. Ett spöklikt sken ur stängda affärer. De tog bussen hem till henne. På natten vaknade hon av att sängen bredvid henne var tom. Hon kom på fötter. Hon fann inte sin morgonrock. Emm satt i den vid matbordet, den var alldeles för liten för honom, och lutade sig över tidningarna och askfatet. Den enda lampa han tänt kastade ett fult ljus över väggarna. Hon frågade vad det var. Han lyfte huvudet. Han såg frusen ut. Hon visste vad det var. Men när hon hade satt sig mitt emot honom vid bordet stödde han sitt ansikte i handflatorna och betraktade henne. Efter en stund kom det ljus i hans ögon och han log.

MONEY

sade han när de på nytt lagt sig och hon nästan hade somnat.

YES?

Han hade varit fattig i hela sitt liv, odrägligt fattig, han var utmattad av det, trött på det, less och trött på sin fattigdom, men hon skall få se, säger han, och det kommer glitter i hans röst: En dag kommer jag att vara rik som Joakim von Anka.

HEAPS AND HEAPS OF MONEY

skall Emm ha en vacker dag.

WHAT WILL YOU DO WITH YOUR MONEY?

Det vet han. För pengarna skall han köpa skrot.
En ohygglig mängd skrot. Varenda dollar, mark,
franc eller lire skall han använda till en enorm och
oöverträffad och osannolik skrothög. Den skall
han inför världens ögon släpa till havet.

AN ENORMOUS SPLASH!

Ett ofantligt plask blir det när Emm vräker skro-
tet i vattnet i allas åsyn, deras ansikten blir långa,
hakorna faller, det stänker ända upp i himlen, en
ofantlig svallvåg går runt jordklotet. Då kommer
Emm att skratta.

HA HA HA HA HA!

Hon som lyssnar gillar tanken.

Någon har sänt Emm till henne. Ödet kanske.

Till honom bär hon ingen skuld. Emm befriar henne från den; han kastar den i havet med ett enormt plask. Han smekte hennes kind. Han steg upp för att hämta ett glas vatten åt henne. Hans kropp: kraftiga höftben. Hon tycker om att se honom röra sig naken, fritt, som ett vackert djur. Hans hud är mycket vit. Han har inte tillbragt det senaste året på badstränder. Det finns en liten snedhet i hans kropp, den syns när han är naken. Ena foten kastas fram lite häftigare än den andra. En snedhet, en liten hälta. Hon tycker om den. Hans ögon: också en smula sneda när man ser dem på mycket nära håll. Han satt på huk och lät henne dricka. Vattnet var svalt och gott. Han sänkte huvudet, han lade det mellan hennes bröst. Då tog hon honom runt nacken och kysste honom, och hans läppar var mycket mjuka, och han frös inte längre.

MY MOTHER WAS A SINGER.

En dag frågade hon om hans mor. Hon var sångerska, sjöng Strauss, Lehár och Kálmán och allra helst

Tjajkovskij på scener över hela landet. Hon som lyssnade blev häpen. Vad hade hon egentligen föreställt sig? Kanske en städerska på en teater. En sminkös. Vad som helst. Inte en operettsångerska. Hon var mycket uppskattad, sade Emm, man kunde säga berömd under en period. Hon var av ryskt ursprung, eller bulgariskt, kanske också av vlachiskt. Hon gifte sig med en man som var mycket äldre än hon, en affärsman från Subotica som hade hört henne sjunga och blivit blixtförälskad. När Emm var fyra eller fem började modern ta med honom på sina turnéer. Han sprang omkring på teatern hela dagarna. När hon sjöng under föreställningarna stod han i kulissen. Han vätte i byxorna av nervositet när hon dog på scenen. Han var spyfärdig av oro innan hon slog upp ögonen igen. Efteråt slöt hon honom i sina armar och skrattade åt honom: Din lilla idiot, sluta gråta, jag levde hela tiden.

YOU LOVED HER VERY MUCH.

Ja.

Hans mor hade varit ofattbart stark.

Hon var envis. Alltid frågade hon sig vad som var meningen med livet. Varför de levde som de gjorde. Varför de alls levde. Hon ville ha svar på de stora frågorna. De små intresserade henne inte. Föräldrarnas äktenskap var inte särskilt konventionellt. De grälade mycket, om allt möjligt, om politiken, om krigen och ideologierna. De reste åt olika håll. Men de skildes inte. De höll ihop, alltifrån den stund då fadern för första gången hade hört henne sjunga och beslutat sig för att han skulle ha henne. Fadern dog när Emm var femton. Hans liv hade förbittrats av kampen mot myndigheterna. Emm kände honom inte mycket. På sin mor hade han ofta varit rasande. Hon var en kvinna som gjorde vad som föll henne in. Hon lyssnade inte på andra, tog aldrig emot råd. Men oftast hade han fått ge henne rätt i efterhand. Hennes död fick han till slut också förlåta. Hon valde den med öppna ögon, förmodligen utan bitterhet, när hon inte kunde sjunga mer, när hennes andre man också hade dött. Hon var en kokett och fåfäng och lättsinnig kvinna som inte tyckte om att åldras, sade Emm och lät elak. Sedan skrattade han.

Hon tycker om att höra Emm berätta.

Medan Emm är hos henne råder nutid.

Bristen och sorgen som andra stunder tickar som en elak klocka tiger. När han somnat ligger hon stödd på armbågen och betraktar hans ansikte: de tunna ögonlocken, de magra och skarpskurna dragen, det ljusa håret som faller över pannan. Hon vill inte väcka honom. Hon vill bara stilla se in i hans sovande ansikte.

EMM SOM BERÄTTELSE.

Hon brukade ge sina elever vissa hållhakar. En god berättelse skapar förväntan hos mottagaren, ibland genom en förutsägelse eller spådom (se till exempel Kung Oidipus eller sagan om Törnrosa). Förloppet försiggår på två plan: det som sker i berättelsen och det som händer i läsarens fantasi. En båge sträcks mellan dem och ger spänning. Brecht hade inte fel när han underströk vikten av fabel.

Det finns en början, en mitt och ett slut i allt. Sådan är nu en gång vår tidsuppfattning. Men en berättelse kan mycket väl börja med slutet för att nå fram till vad som hände i början när den har berättats färdigt. Tre delar kan ofta urskiljas i en berättelse: ett, två och tre. Spådomar är inte gångbara längre, de har trängts undan av psykologiska kunskaper. Två sorters berättelser finns: de som utgår från att livet är meningslöst, vilket skulle bevisas, och de som upptäcker en oväntad mening. Också livet är en berättelse. I livet som i litteraturen inträffar det att två berättelser stöter ihop, till exempel en manlig och en kvinnlig, för att forma en tredje. Emms berättelse har vissa klassiska drag. Som i en saga har han drivit i land på en nordlig ö. Bakgrunden är ett krig och en död mor. Mötet med den kvinnliga berättelsen är klassiskt förberett genom ett tidigare möte och en spådom som bara hon känner till. Spådomen har möjligen styrt den kvinnliga berättelsen en aning och påverkat den gemensamma, som just nu utspelas, i denna säng. Inte bara slumpen utan också ödet tycks ha fört dem samman. Hon tycker om tanken på ödet, men är den riktig? Ingen tror på ödet längre. Hon finner det trist. Men med facit i hand ter sig livet, som Schopenhauer har sagt, alltmer sammanhängande. Den ena slumpen hakar i den andra, vilket leder till den tredje: när man ser bakåt på sitt liv förefaller plötsligt allt som har hänt helt oundvikligt. Ödet är alltså det som vi urskiljer i efterhand. Hon kan inte styra Emms berättelse i vilken hon för tillfället ingår. Men det kan väl inte skada att föreställa sig att han har sänts henne av ödet, av någon välvillig gud? Hon såg hans ansikte, de fina munvinklarna, ögonens lätta snedhet. Hon såg hans känslighet, hans ömtålighet. Det finns människor som har stort avstånd mellan sina poler. Ett starkt intellekt i ena änden och en stor sårbarhet i den andra. Sådana människor har ofta ett vekt parti i mitten. Det ger häftighet, försvarsberedskap och obalans.

EMELLERTID.

Sådan var också hon själv. Men Emm var man. I likhet med många män, i synnerhet sådana som bedrar sina hustrur, frågade han inte mycket. Han tog henne för given. Hon har inget emot det. Men hon var kvinna. Enligt spåmannen i Madrid kom han för tidigt: innan hon gjort sig beredd för en ny kärlek. Emellertid. Och ändå. Vem vet. Och vem var hon att avgöra i vilket ögonblick av sin egen berättelse som Emm hade kommit, om det var för tidigt eller för sent?

SLUTLIGEN:

enligt sagan om Amor och Psyche får man inte betrakta den älskades sovande ansikte. Inte söka efter svar innan tiden är mogen. Inte springa i förväg.

OCH TILL SIST

finns det många sorters sagor, till exempel den om Moshe, som ivrigt ber Gud om att få vinna högsta vinsten på lotteriet. Han tappar andan av sina heta böner som inte ger resultat. En dag öppnar sig förlåten och Gud visar sig: Moshe, min vän, ge mig en chans, köp en lott.

Vad är slump, vad är nödvändighet? Himlen i väster var ofantlig. De vadade ut i vattnet medan ytan långsamt höjde sig: det var tidvattnet som kom. Sedan simmade de mot klippön. På en udde som blivit avskuren från land och var en ö satt de länge på stenarna utan att frysa. På stranden nedanför sig såg de ett annat par. Mannen låg på rygg, stödd på armbågarna, med blicken i fjärran. Kvinnan satt bredvid honom på huk. Vid sina fötter hade hon samlat en liten hög med stenar. Hon såg mot mannen och kastade en sten i havet. Mannen lät sin blick fara åt amerikanska kontinenten till. Kvinnan slängde ett ögonkast mot honom och hävde på nytt en sten i havet. Inte en rörelse i mannens styva nacke. Kvinnan satt stilla en stund med sänkta armar. Därefter valde hon ut en ny sten, denna gång större, och blängde till under lugg mot mannen innan hon kastade den i havet. Det plaskade och stänkte. På ett nästan utmanande vis underlät mannen att lägga märke till henne. Vad sysslade de med? De förde en sorts samtal. Så samtalar män och kvinnor, tänkte hon som iakttog dem. Samma kväll fick hon på hotellet där de tagit in, nära St David's Head, veta att han hade gjort en annan kvinna med barn. Det skulle födas några veckor senare. Han hade vetat det hela tiden men hade tigit, också medan han och hon under sommaren talat om sitt bröllop, de skulle gifta sig efter semestern. Nu gick det inte att uppskjuta upplysningen längre: hon skulle när som helst kunna få reda på det av andra. Han förnekade att de haft ett förhållande, han och den andra: det var bara en tillfällig förbindelse. Hon trodde att hon skulle kvävas medan hon lyssnade till honom. Hon skulle aldrig glömma hotellrummet, de blommiga sängöverkasten, de smaklösa tavlorna på väggarna, inte heller den vita vattenkaraffen som hon betalade hotellvärden för sedan hon krossat den mot sänggaveln. Hon ville ha barn med honom. Han ville gärna gifta sig med henne, mycket gärna, men inte ha barn. Han hade redan barn ur ett tidigare äktenskap, det fick räcka. Hur många gånger låg ni med varandra? Inte många. Men hur många? Ett tjugotal, kanske. Var det inget förhållande, säger du? Om man ligger med en människa tjugo gånger, har man då inget förhållande? Nej, de hade inte något förhållande, det var bara tillfälliga samlag. Hon slog honom rakt i ansiktet. Hon tog bilen och körde ifrån honom, blank i huvudet, vit av vrede. Bilfärden tillbaka till London uppfyllde inte säkerhetsföreskrifterna. Hon återvände ensam till Sverige. Hur länge levde hon sedan med denne man? I flera år. Det var ömkligt att hon förnedrade sig så för att förtjäna hans kärlek. Det var inte av en slump: en egendomlig kraft binder oss vid dem som förtrycker oss. Men var det nödvändigt?

ATT SÖKA EFTER GUD.

När hans barn med den andra kvinnan hade fötts gick hon för första gången på många år i kyrkan. Hon var förtvivlad, hon tyckte att hon inte hade dugt. Hon frågade Gud vad hans avsikt var med det barn som hade fötts, vad han menade med att hon själv inte skulle kunna få fler. Gud svarade inte. Hon fortsatte att gå i kyrkor, alla sorters kyrkor, under åren som följde. Hans obestämdhet, hans tigande, hans svekfullhet – hon tog det på sig. Han gjorde henne ont; för att slippa erkänna det anklagade hon sig själv. Hade hon inte varit kärleksfull nog, inte tillräckligt förstående? Sådan var hon. En häst, en kamel. Gud, om han fanns, var uppenbarligen för fin för henne. Ur någon dypöl måste hon leta rätt på en annan åt sig, en som tog hennes parti. Som förlät henne för att hon var som hon var. En grodgud kanske, som kommer ur urslemmet. Jacob var annorlunda, sade hon sig när hon därefter träffade honom och blev sanslöst förälskad. Det var han kanske också. Det var hon själv som var likadan som förut.

EN SAGA.

Ett barn som föds är ett snurrande hjul. När de andra lastar sina bördor på det blir det en kamel. Den vandrar ut i öknen. Där möter den sin vrede: ett lejon. Kamelen och lejonet tar upp striden med varandra. Och kamelen besegrar lejonet. I samma stund förvandlas kamelen på nytt till ett barn. Och barnet blir ett hjul som fritt rullar ut i världen.

SPAGETTI.

Emm bjöd på middag: ett högtidligt ögonblick.

Hans omsorger vid kastrullen rörde henne. Hon avhöll sig från att hjälpa till. Hon satt på en stol i köket med whiskyglaset han gett henne. Emm förberedde måltiden med högt uppdragna axlar och under stor koncentration: en Faust vid sina retorter. Först salt. Sedan i med spagettin. Han råkade i beråd vid slutet av proceduren, han fann inget durkslag. Inte hon heller, fast hon letade i lådor och skåp. Hon fann ett par grillvantar. Han hade dukat på skrivbordet i sitt kala rum. Det elektriska elementet behövdes, det var kallt. Men dukningen var elegant: en duk han funnit i ett skåp, vita servetter. Spagettin såg en smula ödslig ut. Han drog upp korken ur vinflaskan med en servett över armen. Vinet var gott. Spagettin smakade utmärkt. De åt och skrattade. När de älskat i hans smala säng låg de stilla utan att säga något. I Emms sällskap fanns inget tvång. Emms doft: sträv, tilltalande. Med få människor kan man älska. Med häpnadsväckande få tillåts man glömma vem man är medan man utför kärlekens rörelser. Ändå kommer ögonblick då också det som inte sägs skapar avstånd. Vad hon inte har berättat för Emm: det är mycket. Vad Emm inte har berättat för henne:

nästan allt. Utanför fönstret en måne; hon trodde i varje fall att det inåtvända ljuset utanför rutan var månsken.

KAFFET.

Det var slut i hans burk. Klockan var inte mycket. De klädde på sig och gick ut. Emm var orolig, hon såg det. Pengar. Han hade kommit till Sverige för att skriva en rapport. Han måste ha pengarna. Att skriva var inte lätt. Hemma, det var i Belgrad, spred sig en spöklik och gastkramande förnekelse, sade han. Det fanns människor där, och inte så få, som var övertygade om att den belägrade staden, Sarajevo, inifrån anföll omvärlden. Hans sätt att uttala namnet var annorlunda. Hans tunga gled mjukt över konsonanterna. Vokalerna bands samman av en enda rörelse. I Belgrad levde man i en förstelnad dröm, som tyskarna före kriget: fångar i en stendröm. Mannen som serverade dem, förmodligen grek, kanske var han kurd, kom med ytterligare två espresso. Emm sade att han ibland fick för sig att det var han själv som var galen, han som inte ville fångas i stendrömmen, han som försökte att

137

se klart. Han log. Han sträckte sig över bordet och tände hennes cigarrett.

YOUR WIFE?

Hon frågade det.

Han lyfte inte blicken. Han betraktade en stund tändarens vita lilla låga. Sedan det lilla skummet längs koppens kant. Till slut skeden i sin hand.

SHE WANTS TO LEAVE

sade han.

Inte honom, men landet.

Hans fru ville emigrera med barnen. Ge sig iväg till släktingar i USA. Snart skulle hon antagligen sätta planerna i verket. Hon var övertygad om att det skulle bli krig också hos dem. Emm drack av sitt kaffe. Vid bordet intill hängde ett par trötta män, taxichaufförer, som tyst läste sina tidningar. Längst bort i hörnet satt en man med en väldig mössa, den liknade en svamp. Mannen var svart och såg sorgsen ut. Fönstret var också svart. Hon såg den suddiga speglingen av Emms ryggtavla i rutan. Den tycktes skälva en smula, men själv satt han stilla. Han vred på kaffeskeden. Han betraktade den noga.

AND YOU DON'T LIKE IT?

Hur skulle han kunna hindra henne? Han trevade efter en cigarrett. Hans ljusa blick snuddade vid henne medan han tände den. De hade olika uppfattningar. Hans hustru trodde att de tappra serberna, hennes folk, var kringrända och hotade. Hon ville ta barnen med sig och ge sig av.

I AM PERHAPS A LUNATIC

sade han. Men just för att han inte var nationalist, inte fånge i den kollektiva psykosen, kunde han inte lämna landet. Några som han måste stanna. Tanken på att hans barn skulle växa upp på en annan kontinent, inte lära känna sin kultur, kanske glömma sitt språk: den var nästan outhärdlig.

Han tystnade. Männen vid bordet intill vände blad i sina tidningar.

DO YOU LOVE HER?

Emm tog ett djupt bloss på cigarretten. De var olika varandra, svarade han. De hade med tiden blivit alltmer olika. Hans ryggtavla i fönsterrutan såg ut att gunga. Som om rutan buktade. Eller som om det blåste. Men det blåste inte. De betalade och gick. När de kommit en bit ner på gatan höll de hårt om varandra. De frös båda.

DE VITA BLOMMORNA.

När hon kom hem från universitetet sent en efter-middag hängde ett vitt paket från en blomsterför-medling på dörrvredet. Hon packade upp det i köket. Inget meddelande. Då förstod hon vem som sänt henne blommor. Det var deras bröllopsdag, den tionde. Hon blev varm i hela kroppen, han tänkte på henne. Blommorna, en smekning. Det var stora vita klasar på höga stänglar. Vackra. Hon lät papperet falla på golvet medan hon letade efter en vas. Då insåg hon att Jacob hade beställt blommorna innan han reste till New York. Detta var en långt i förväg planerad blomstergåva. Inga rosor denna gång. Vita blommor i klasar. När hon såg på dem tyckte hon att de mest av allt liknade en bukett till en jordfästning. Hon stod med dem i köket utan att veta vad hon skulle göra. Hon ställde dem i en vas på soffbordet.

CIORAN.

En sak är viktig, att lära sig att vara en förlorare, skrev Cioran. Om man vet att man är en förlorare blir det lättare att leva. Man behöver inte göra sig till.

SNÖYRA.

Lätta små flingor, de steg rätt upp i himlen. Hon satt vid skrivbordet och stirrade rakt framför sig. Det snöade uppåt, det såg märkvärdigt ut. Men bland de flygande flingorna fanns andra som föll, såg hon. Stigandet och fallandet var delar av samma rörelse. Den fick himlen att välva sig, tänjas och krympa, vidga sig och dras samman. Snöyran: en rörelse som upphävde alla riktningar, inget mål, ingen avsikt, bara en rastlös och flimrande rörelse som livet.

ATT MANNEN

som har sänt henne blommor älskar och smeker en annan kvinna i New York åstadkommer en sorts strömavbrott i huvudet. Tanken gör så ont att hon slår knogen i badrumsväggen. Knogen börjar blöda. Hon betraktar den frånvarande. Hon spolar kallt vatten över den. Hon drar fram pallen till badrumsskåpet och finner till slut på översta hyllan vad hon söker: ett plåster.

FÖTTER.

En dröm om fötter, det var i slutet av november. Hon stod i ett främmande kök och hade i uppgift att laga mat åt ett stort antal människor. Man levererade stora frysta block av kött åt henne. När hon såg närmare efter stack fötter ut ur köttblocket. Det var fötter av olika storlekar, också barnfötter.

Hon insåg att dessa fötter var hennes egna, i olika åldrar. Hon lät köttblocket massakreras i matberedaren och serverade gästerna. När nästa frysta köttblock levererades och hon på nytt kände igen sina egna fötter i det blev hon illamående och vägrade att fortsätta. Hon vaknade. Vad handlade denna dröm om? Hela sitt liv hade hon gjort så, tänkte hon: serverat de andra av sitt kött för att mätta dem. Att till och med ge upp sitt fundament, sina egna fötter: det tar väl ändå priset.

GLÖMSKANS BARMHÄRTIGHET.

Kväll. Ingen musik. Hon orkade inte lyssna. Hon strök kläder och hörde på radio, ett program om minnet. En mycket gammal kvinna blev intervjuad. Ingenting av vikt kom hon ihåg, sade den gamla kvinnan. Inte olyckor och svek. Men när det gällde annat var hennes minne glasklart. Att för första gången kunna nå upp med blicken över matbordet! Ett svindlande minne. Eller minnet av de egna barnfötterna bland svinmålla och väppling på stallbacken, och minnet av sin egen förundran över att de var så små! Vissa minnen, sade kvinnan, är tunna som löv. Men somliga är tjockare. Som en tavla. Eller en bok. Hon tycktes mena: tredimensionella. I den sortens tjocka minnen kan man vistas en god stund, sade hon. Då kan man upptäcka saker man aldrig tidigare tänkt på. Minnet av hur knapparna knäpptes i ens livstycke, till exempel. Man kunde gå in i minnet, fortsatte hon, och medan man var där kunde man passa på att undersöka hur de stora händerna såg ut som knäppte livstycket, något man inte lagt märke till som liten. Det bästa minnet var ett tjockt minne som hon numera gärna gick in i. Som liten flicka hade hon en dag stått barfota utanför huset där de då bodde, det var på Karlbergsvägen. En vacker ung löjtnant i blå uniform kom ridande på en häst. Han höll in tyglarna. Han frågade den lilla flickan om hennes moster, som han var förälskad i, var hemma. Det var inte mostern. Då strök den blå löjtnanten med fingret över sin mustasch och såg sorgsen ut. I nästa ögonblick hade han svept upp den lilla flickan i sadeln framför sig. De red hela Karlbergsvägen fram, flickan framför löjtnanten, och solen sken och fåglarna kvittrade och det var vår. Aldrig i hela sitt liv glömde hon ridturen med löjtnanten, inte heller synen av sina fötter som stod rätt ut, eller den starka lukten av läder och uniformstyg, eller den gröna färg som gräset hade. Detta var ett minne av paradiset!

Hon som strök glömde att stryka.

Vad hade glömskan i beredskap åt henne själv? Hon såg fram mot det med iver; nästan med girighet.

ETT LIVSLÅNGT ÅTAGANDE.

Så länge modern levde talade hon med henne i telefon varje dag. Systern också. De fortsatte att uppvakta Drottningen. Det fanns ingen annan utväg. Modern var intagande. Hon var bitsk och kvick. Många tyckte om henne – en kvinna, över åttio, med en sådan andlig vitalitet, en så oförvillad blick, en sådan självironi. En människa som inte ljuger: det är ovanligt. Men ångesten lämnade henne inte. Döttrarna var de enda hon släppte in i sitt dödsrike. När sommaren närmade sig blev det värre. Då slog fruktan för ensamheten ut i skräck. Det var som när en instängd fågel blint flyger mot rutorna, i fullt vansinne störtar mot det hårda glaset. Då kan också den som vill hjälpa fyllas av skräck. Man måste se till att modern inte visste något om ens liv. Men man måste berätta om sitt liv, annars blev hon orolig. INGEN AV MINA DÖTTRAR LYCKAS MED KÄRLEKEN. DET ÄR NÅGOT FEL PÅ OSS. Mamma, lugna dig nu. Andra skiljer sig också. Det måste inte vara fel på en för att man skiljer sig. Många gör det. DET ÄR MITT FEL. JAG VET DET NOG. Mamma, ingenting är ditt fel. Jag mår bra. Alla skilsmässor är inte som din. DU ÄR SOM DIN FAR, KÄNSLOKALL. Det var hon inte. Men hon hade under sin skilsmässa, sina skilsmässor, varit noga med att framhålla att hon mådde bra. Om man visade sorg, om man för ett ögonblick tappade kontrollen och antydde att man hade det svårt, kunde modern säga saker som verkligen sårade: DU HAR VARIT HANS DÖRRMATTA. DU HAR LÅTIT DIG UTNYTTJAS. TRO INTE ATT JAG INTE HAR SETT DET. DU ÄR EN MES PRECIS SOM DIN FAR. Det hände efter sådana samtal att hon stod i badrummet och darrande spolade kallt vatten över ansiktet. Det som modern sade var sant.

Hon var en mes. Hon hade låtit sig utnyttjas. Det var för att få kärlek. Mest hade hon låtit sig utnyttjas av modern. De försökte hjälpa varandra, systern och hon. Men den ena belastades av den andras ord. När systern skilde sig och hon själv hade långa telefonsamtal med sin mor för att trösta henne, fanns det alltid något hon oförsiktigt undslapp sig, något som hon inte borde ha sagt, ett ord som modern kunde rikta mot sig själv. Då ringde modern till systern, och systern ringde henne. De var ett kommunicerande kärl. De flöt i samma vätska, modern och döttrarna. Ut ur kärlet kunde de inte ta sig. Det tog tid, i själva verket hela livet, att inse det. Det mesta som modern sade var sant. Bara perspektivet var fel. Om hon ändå haft musiken. Cellon: hon gav bort den. Det var till någon. Vem som helst. Det var utan urskillning som allt annat. Också noterna och skivspelaren och skivorna gav hon bort. Hon tålde inte musik. Inte ens att lyssna. Svårt blev det mot slutet, verkligt svårt; då var modern mycket sjuk. Hon hade svårt att andas. Hon var nästan blind. JAG HAR VARIT EN MISSLYCKAD MOR. SÄG INTE EMOT. JAG VET DET. JAG KAN INTE SOVA PÅ NÄTTERNA. JAG

KAN INTE LÄSA. DU VET INTE VAD ENSAMHET VILL SÄGA DU. NÄR DU SJÄLV BLIR GAMMAL FÅR DU VETA HUR DET ÄR. Hon satt med luren i handen och lyssnade, så upprörd att handen ryckte. Man kunde inte hjälpa längre. Det var för sent. En sådan skräck hade modern satt i henne – självmord, missöden och olyckor – att en dag utan kontakt gjorde dottern ångestfylld. Att inte kunna hjälpa, inte kunna lindra, bara lyssna; det var också en plåga. Oftast återfann hon under telefonsamtalet sin kyla. Isen, en pålitlig rustning. Hennes åtaganden mot fadern, mot männen, mot barnet: alltsammans var nu över. Ett barn återstod, modern. Så länge modern levde, tänkte hon envist, skulle hon ge henne kärlek. Eftersom inget gick att ändra på, det hade blivit för sent, var kärleken vad som fanns kvar. Mata kärlek i modern, med sked om så behövdes, eller med nappflaska. Kärlek? I varje fall denna envetna, ihärdiga önskan att bevisa att hon hade fel, att det fanns kärlek i livet. Hon ville tro det. Mer än så, hon visste det. När systern en natt ringde och sade att deras mor var död blev hon överrumplad. Hon hade aldrig kunnat föreställa sig att hon inte skulle vara närvarande i dödsögonblicket. Ett så långt liv tillsammans, ett så oupplösligt band. Det kunde väl inte klippas av så snöpligt och odramatiskt? Men så var det. Ett tag var de bedövade, systern och hon. Sedan kom lättnaden. Den avlöstes av en underlig vrede. Hur var det möjligt? Dessa föräldrar hade, på ett absurt sätt, tagit ifrån dem den näring de behövt för ett eget liv. Nu var det över. Ingen kunde man anklaga.

REKTANGLAR AV LJUS

över parketten. En plötslig strimma av sol fast det var de sista dagarna av november. En fullkomlig omöjlighet, skilsmässan från Jacob. Hud som slets bort. Rå och svidande smärta. Vad gör man med en sådan kärlek? Man kan inte förneka den. Hon föll på knä på golvet i en solstrimma: Gör vad du vill med mig, Gud.

DOSTOJEVSKIJ.

Om vintern är Ringvägen en blåsig genomfartsled som ingen kan älska. De satt på bussen efter att ha sett Dostojevskij som monolog. Emm uppskattade föreställningen, han gav skådespelaren beröm. De drack whisky efteråt. De vackra vita blommorna som vägrade att ge upp andan stod mellan dem i vardagsrummet. LOVELY FLOWERS, sade Emm. Hon svarade inte. Men han, som inte frågat om någonting i hennes liv, frågade plötsligt vem som sände henne så vackra blommor. Hon svarade och sade som det var. SO YOU ARE STILL MARRIED? Hon berättade alltsammans, att mannen var i New York med en kvinna som han älskade. Att de levt i en triangel under lång tid. Att de haft svårt att bryta med varandra. Att de till slut lyckats göra det. Hon var lättad över att det blev sagt. Emm blev tyst. Hans hand med de mjuka fingrarna vilade på armstödet till den gula fåtöljen. Han betraktade de vita blommorna. Emms ord, de brast ur honom: THAT MAN WILL NEVER LET GO OF YOU. Hon satt i soffan med huvudet sänkt. Hon kunde inte tolka hans tonfall. Det var, insåg hon, ett viktigt ögonblick. Emm hade gett henne frihet att glömma mannen. Nu slogs en bräsch i muren. Det önskade hon inte. Dessa blommor, de rev upp. Hennes svar:

HE MUST, IF ONLY I CAN LET GO OF HIM.

Det kom häftigare och mer obehärskat ur henne
än hon avsett.

I LOVE YOU.

Emms rörelser är hårda. Han älskar blint med hen-
ne denna natt. Med stötiga rörelser. Med hela sin
tyngd. Han ropar högt. När han efteråt står naken
mitt emot henne i sovrummet säger han de ord som
tidigare inte sagts mellan dem. Hans ögon är nak-
na. Hon minns efteråt att de var nakna. Hon minns
också att hon inte kunde svara honom. Fast hon
ville svara kunde hon inte. Hon kunde bara sträcka
ut sin hand och röra vid hans skuldra. Det sved i
bröstet och gjorde ont. En lång stund hatade hon
mannen som hade sänt henne de vita blommorna.

KYSKHETSBÄLTE.

När Emm har rest, hon vill inte att han skall resa
men snart reser han, skall hon inte mera låta sig
frestas av kärlek. Det får räcka. Kärleken: den har

kostat för mycket. Den är inte för henne. Hon borde ha förstått det tidigare. Hon skall läsa och arbeta. Byta våning. Bli som ett barn. Sent i livet. Förutsättningarna inte de bästa. Men trägen vinner.

ATT VARA KVINNA

är inget att stå efter, sade systern, som bodde i en annan stad, torrt i telefon. Man har bekymrat sig om sina krävande föräldrar hela livet, och på samma sätt om sina barn, men vem i helvete bekymrar sig om oss?

EN LITEN TANT.

Hon hade inte sett så noga på det lilla fotot hon fann i ett kuvert i skrivbordslådan. Hon måste ha tagit det när de gick igenom moderns kvarlåtenskap. En liten flicka, två år, står vid en husvägg iförd en bomullsklänning, smock på bröstet och puffärmar. En hätta skuggar pannan. En stor och klumpig damväska har flickan fått som leksak. Armen som håller i väskan ser stark ut. Ögonen under hättans kant är plågsamt osäkra. Hon ser ut som en liten hunsad tant. Detta barn hade redan lärt sig att lyssna till budskap som var dubbla eller tre-dubbla. Detta barn ville vara till lags. Försiktigt lutade hon fotot av sig själv mot lampfoten på nattygsbordet innan hon släckte ljuset.

JERUSALEM.

Då levde modern ännu. När han inte ville avbryta sina föreläsningar och komma hem fast det skulle bli krig, köpte hon en charterbiljett och for dit. På flygplanet fick de reda på att sovjetiska tanks samma morgon omringat radiostationen i Riga. Pilo-ten meddelade strax därpå att Lawrence Eagle-burgers förhandlingar i Bagdad hade misslyckats. En apokalyptisk stämning spred sig. Världen tyck-tes väga på en knivsudd. El Al-planet var fyllt till sista plats. Andra flygbolag hade inställt sina flyg-ningar. De blev intervjuade av svenska journalis-ter i Jerusalem, också hon. Hon hade tänkt säga att hon var solidarisk med två övergivna folk, det palestinska och det israeliska. Men på TV såg de en skäggig Yasir Arafat kyssa Saddam Hussein:

palestinierna välkomnade de irakiska missilerna. Så fort hon uttalat sig inför TV-journalisten blev hon orolig, det var vid tanken på modern. Hon hade inte talat om att hon tänkte resa, naturligtvis inte. Men nu skulle hon kanske synas i TV i Sverige. Hon satt ensam i våningen för att ringa till modern. Flera gånger lyfte hon telefonluren och lade på den igen. Hennes fingrar var så stela att hon inte förmådde slå numret. För henne handlade kriget nu bara om en enda sak: ångesten hon skulle väcka hos modern. Ingenting lamslog henne som den. Hon drack mer whisky. När fingrarna till slut lydde var hon insvept i ett milt töcken av alkohol. Också rösten var mild. Telefonsamtalet blev precis som hon väntat. Nej, värre. Modern angrep henne med en sådan häftighet att hon välsignade fyllan. Allt hon gjort i sitt liv – handlingar, åsikter och beslut – reducerades till en löjlig människas försök att göra sig märkvärdig. Hennes inbilskhet var kvävande. Hennes eftergifter mot Jacob skratt-retande. Hon insåg hur rädd modern var: en fågel med flaxande vingar som i blind skräck kastade sig mot rutan. Hon försökte tala förstånd med henne. I Israel fanns just nu massor av svenskar, journalister som gjorde sina jobb liksom Jacob gjorde sitt, och deras mödrar häcklade dem inte. Modern svarade med hån. Dottern var bara eftergiven nickedocka åt mannen som förstås hade övertalat henne att resa. Mamma, svarade hon milt, jag ville det själv. Hon försökte skämta, hon försökte tala allvar, hela tiden med samma milda röst men med bultande hjärta eftersom hon inte förmådde hejda moderns skräck. Då tog samtalet en obehagligare vändning. Modern sparade inte judarna: det var rätt åt dem om de gasades ihjäl av Saddam Hussein. Mitt i den varma fyllan frös hon till. Var det sin mor hon talade med? Hon insåg att skräcken sannerligen urholkar själen. Motsatsen till kärlek är inte likgiltighet och inte heller hat. Motsatsen till kärlek är skräck. Medan modern klädde av henne all värdighet, klädde hon samtidigt av sig själv inför dottern. Hon slutade att gå i svaromål. Ett par gånger avbröt hon modern för att säga att Gud nog höll sin hand också över moderns grå huvud. Gud? Modern fnös åt hennes klyschor, som hon kallade det. Hon skrek till slut att det var i sin ordning att dottern gasades ihjäl. OK, svarade dottern, inte utan lättnad. Vill du ha mitt telefonnummer medan jag ännu lever kan du få det. Men det ville modern inte.

EPILOG.

Hon satt kvar en stund vid telefonen. Hela resan var kanske värd detta, att se att det modern kallade kärlek inte var mer än så. Att det hos modern fanns så lite respekt för henne, för den hon var; hon borde ha insett det långt tidigare. Det fanns en kort passage mot slutet av samtalet som var minnesvärd. Just innan de lade på ändrades moderns tonfall: hon hade förliden natt drömt att döttrarnas far lagt sig bredvid henne i sängen. Han hade inte älskat med henne, inget sådant. Han hade bara legat bredvid henne och hållit om henne. De hade förlåtit varandra. Fast han var död hade de försonats. Moderns röst lät förundrad när hon berättade det. Dottern vid telefonen sände upp en tyst bön av tack. Att det var en gudomlig dröm tvivlade hon inte på.

TRE

Huset sov när hon smet ut. De låg i samma rum, fadern på rygg, modern på sidan med armen hängande över sängkanten, i övrigt syntes bara det mörka håret mot kudden, och systern i spjälsängen vid fönstret. Det var sommar. Hon tog sig nerför trappan, den knarrade lite. På verandan luktade det dävet från morfaderns korkdynor och hoprullade flaggor. Ute var det kyligt. Fåglarna teg. Mellan klarbärsträdens svarta stammar låg en mjuk dimma. Motorbåtens presenning var täckt av fin väta. Färgerna hade inte vaknat. Så såg världen ut när ingen betraktade den, när den vilade sig från människors ögon. Hon hade oförmärkt tagit sig ut i den, genom en glipa, och var osynlig. Hon satt på en sten i mormoderns stenparti och höll andan. En akleja nickade till mot hennes ben. Hon såg en trollslända. Det var tyst. Det var ofattbart stilla. Ofta längtade hon tillbaka till ögonblicket. Det var kort. En fågel skrek. En solstråle gnistrade till över skogsbrynet. Ögonblicket var över. Hon lade märke till sårskorpan på sitt knä, att hon var hungrig, att hon frös.

POESI:

språket som när man tränger in i det leder förbi orden så att man kan uppfånga en glimt av THE RADIANCE, THE ESSENCE. Det har hon skrivit på skärmen, men vem som har sagt det har hon glömt att anteckna. Språket som leder till de magiska ögonblicken; de finns alltid fast man glömmer det.

NEXT TIME.

Hans händer omslöt kaffemuggen som för att dra värme ur den. Himlen var vit. En söndagsmorgon i december: han satt vid matbordet iförd hennes morgonrock, den gick inte om honom. Hans blick var mycket ljus, nästan genomskinlig. Han var orakad. Han var trött. Den sista tiden hade han

arbetat utan uppehåll i det kalla rummet i Vasa-
stan. Han var otålig. Han ville bli färdig. Under
hans ögon fanns mörka ringar. I flera nätter hade
han sovit dåligt, en ny hyresgäst störde honom med
sin vedervärdiga musik. I WOULDN'T HAVE EN-
DURED THE WINTER IN STOCKHOLM IF IT
HADN'T BEEN FOR YOU, sade han. Hans blick för-
lorade sig i den vita himlen. Hon frågade vad det
var. Han svarade, med blicken kvar i det flackande
gråvita ljuset ute, att han under natten förnummit
en uttömning så djup att den gått genom hans in-
nersta rot. Hans röst var stilla när han sade det.
Han hade aldrig upplevt något liknande. Ännu
dröjde en domning kvar, en häpnadsväckande frid,
i hela hans kropp. Ett tåg passerade långt nedan-
för dem. De lyssnade till dunket från skenskarvar-
na. Hon var rörd av hans ord, tacksam för dem.
Hon såg ett flygplan högt ovan molnstrimmorna.
Om han ville, sade hon, kunde han bo hos henne
under den korta tid som återstod. Då vände Emm
sin blick mot henne. Den var mjuk som sand, ljus
som lucker mylla. Han log. NEXT TIME, svarade
han. Hon hällde kaffe i hans mugg och varm mjölk.
Hon fyllde också på sin egen.

WILL THERE BE A NEXT TIME?

Han skulle komma tillbaka till Stockholm snart, i februari, senast i mars. Om det han skrivit blev en bok skulle förlaget betala hans flygbiljett.

YOU AND ME WILL ALWAYS MEET

sade Emm.

DEN RÖDA BUSSEN.

Ännu oklädd, med morgonrocken över axlarna, såg hon honom gå mot busshållplatsen därnere. Små glesa strimmor av snö drog över gatan. Hon lutade pannan mot det kalla fönsterglaset. Emm stod i sin långa rock, barhuvad, en smula tankspridd, och väntade. Han såg inte upp mot henne i fönstret. Han skulle inte ha kunnat se henne, fönstren var så många, hon bodde nästan i himlen. I backen kom den röda bussen. Han märkte den inte. Hon älskade honom, hon visste det: i ett av sina liv älskade hon honom. Bussen kom närmare med små moln av snö runt hjulen. Snart skulle han inte längre vara i Stockholm. Hon såg honom lyfta sitt huvud, en tankspridd rörelse, när ljudet från bussen nådde honom. Bussen bromsade in framför honom. Dess främre dörr öppnades. Han klev på, den ende passageraren, och dörren slöt sig och han var borta. Bussen försvann i backen. De tunna snöstråken fortsatte att rastlöst dra över gatan, vita och flygande och genomskinliga. Bortom de kala träden i parken syntes de grå husen vid Hornsgatan, längre bort Högalidskyrkans raka torn, och mot himlen i nordväst silhuetten av Stadshuset.

HUNDRA DAGAR

hade hon döpt filen till som hon öppnat i oktober. När hon inte kunde döva sig med annat, när hon måste ta en paus från rastlösheten, hjälpte den henne. När hundra dagar hade gått sedan hon sista gången såg Jacob, sedan hon sista gången älskat med honom, måste smärtan, tandläkarborren i själen, ha mildrats en aning. Det hade hon tänkt i oktober. Nu skrev hon om en annan man. En gåva som hon fått utan att anstränga sig. Utan att förtjäna den. Innan hon stängde datorn räknade hon ut hur många dagar av de hundra som gått: fjorton i oktober, trettio i november, arton i december. Av de hundra dagarna hade bara sextiotvå passerat. Trettioåtta dagar återstod. Dem måste hon också överleva. Hon gick genom rummen i våningen.

GRANNEN.

Hon hörde hans rop i trapphuset. När hon ringde på blev de starkare. Ingen öppnade. Hon lyckas till slut – det är sent på kvällen – att få tag i fastighetsförvaltaren som låser upp. Den åttioårige mannen, inte olik en gammal elefant, har fallit baklänges och kilats fast, med ett ben på var sida om toalettstolen. Hans skalliga huvud ligger pressat mot röret under handfatet. Fastighetsförvaltaren kliver över den väldiga kroppen. De försöker, stående på var sin sida om honom, att dra upp honom. Han sitter orubbligt fast. Det är en fars, föga skrattretande. Hon ringer polisen. Fyra polisbjässar, varav tre unga kvinnor, anländer förvånande snabbt. Inte heller de lyckas dra ut mannen som har fastnat. Han förefaller uppskatta uppmärksamheten. Men han vill inte tillbringa natten i en så erbarmlig ställning. Han gormar över deras handfallenhet. Sex människor i hans tambur och de kan inte få upp honom. Det finns livsproblem som är olösliga. Det här förefaller vara ett sådant. Medan de sinsemellan diskuterar olika lösningar, som att få tag på någon som kan skruva bort hela toalettstolen, sätter sig en av de kraftiga unga kvinnorna på den. Med vaggande små rörelser lirkar hon upp mannens ena ben i böjd ställning. Det tar tid. Han protesterar högljutt. Men hennes metod håller streck. Hon lyckas, och sedan också med det andra benet. Den kvinnliga polisen och en av hennes kollegor drar sakta ut grannen från toaletten. Han försvinner in i hissen på en bår med ena armen triumfatoriskt höjd till avsked.

BARNET.

Hon ringde till sitt barn, till dottern som för flera år sedan hade flyttat hemifrån och som sällan hörde av sig. Det var för att fråga om hon ville fira jul hos henne. Tyvärr, svarade dottern. Hon lät en smula jäktad. Hon hade redan lovat att komma till sin far då, tillsammans med sin pojkvän, och fira jul hos honom och hans hustru. Var det något annat du ville, frågade dottern. Jag behöver dig, hörde hon sig själv säga. Det kom oväntat. Också för henne själv. Det blev tyst i luren. Hon märkte att hennes hjärta slog mycket hårt. Jag behöver dig, hade hon någonsin sagt så till en enda människa? Jag kan komma genast om du vill, sade dottern. Hennes röst lät inte jäktad längre. Men då svarade hon sin dotter att så bråttom var det ju inte. Efteråt kunde hon inte begripa varför hon inte omedelbart hade sagt ja.

TIDENS LOPP.

Efter samtalet längtade hon så starkt efter att få hålla sitt barn i famnen – det lilla barn hon haft, då när hon varit frånvänd och oåtkomlig, då när hon inte vetat hur en mor bär sig åt – att det svindlade i huvudet en lång stund. Hon längtade efter sitt barns doft, efter att få känna hennes runda armar kring sin hals, efter det ljusa fjunet i barnets nacke. Hon längtade efter att få leva om tiden, vara annorlunda, inte tro att man besvärar andra genom att finnas till; i stället jubla i högan sky och prisa sin lycka. Men tiden vänder inte i sitt lopp.

CONSOLATIONS:

en blek pianist spelade i bakgrunden, musiken var av Franz Liszt. Hon såg Derek Walcott i TV-rutan, han hade intelligenta ögon, en aning trötta, några gånger varglikt uppmärksamma: det var när intervjuaren frågade honom om saker som han inte hade lust att svara på. Nobelpristagaren och hans blonda hustru hade ätit middag i Blå Tornet hos August Strindberg. Hon såg dem vandra bort i mörkret längs Drottninggatan. Också det var för länge sedan. De befann sig nu på andra sidan jordklotet under en annan sol: tiden rinner hastigt genom tingen och oss.

DE TIOTUSEN TINGEN.

Hon skrev ner citatet i hjälpfilen som hon döpt till Hundra dagar: *när de tiotusen tingen har skådats i sin enhet, återvänder vi till begynnelsen och för-*

blir där vi alltid har varit (Tsien Shen, mottot till den underbara boken av Maria Dermoût som hon av en slump funnit på antikvariatet).

TINGEN:

tidningshögarna, fotbollarna, hockeyklubborna, de sammanbundna skidorna, travarna med gamla LP-skivor, kartongerna ombundna med snören: hon släpade en morgon ut allt detta från sin tambur till trapphuset och staplade det där. Det var enligt överenskommelsen vid det sista samtalet, det som avslutade äktenskapet. Mot slutet fick hon bråttom. Hon skulle till universitetet, sista seminariet för året. Hon såg till att komma sent hem den kvällen. Som i ungdomen gick hon på två bioföreställningar efter varandra: först klockan sju, sedan klockan nio. Efter den sista tog hon för säkerhets skull också en öl på puben vid Zinkensdamm. När hon steg ut ur hissen var de tiotusen tingen borta: han hade hållit uppgörelsen. Så visste hon också att han var i Stockholm igen.

VÄRJAN.

På tamburmattan fann hon ett brev. Han hade inte väntat att hon skulle gå så radikalt tillväga. Hon måste ha tömt också källaren. Det var onödigt, det mesta hade kunnat slängas direkt i en container. Han hade kunnat göra det själv. Det som gjort ont, skrev han, var att hon inte hade behållit värjan. Värjan? I sista stund hade hon fått syn på hans värja ovanpå en bokrad överst i hyllan. Hon hade försiktigt svept in den i en kökshandduk och placerat den på en av kartongerna i trapphuset. Det gjorde ont, skrev han, att hon lagt ut värjan så vårdslöst bland all annan bråte. När han fått syn på den var det som om hon skurit bort en klump kött ur hans kropp och slängt bort den. Värjan var hennes. Varför kunde hon inte behålla den? Varför kunde hon inte behålla hans kärlek hos sig, den del av hans kärlek som tillhörde henne? Hon läste brevet flera gånger i badrummet med skakande händer medan badkaret fylldes. Värjan hade en gång varit en gåva från henne till honom. Den var hans. Orden i brevet flöt samman för henne. Vad menade han? Värjan, hans manlighet? Hans vilja att

behålla henne hos sig? Symboler är inte fantasi-
foster.

SYMBOLER

men hur tar man egentligen farväl?

A DIEU.

Hur gör man för att skära bort ännu levande delar
av sig själv?

MANLIGHET OCH SANNING.

En gång, det var när han redan varit på sjukhus i
flera år till följd av hjärnblödningarna, ville fadern
säga en sanning. Han hade, sade han, en son utan-
för äktenskapet. Hans blå ögon var oroliga. Var
detta en sanning som sårade henne? Inte alls, sva-
rade hon som inte ens blev förvånad. Hon visste
att det förhöll sig så. Sanningen gjorde henne inte
illa, sade hon till sin far. Tvärtom. Hon var tack-
sam för att han ville ge henne den. Alltför mycket
hade förtigits. I samma ögonblick dök faderns

hustru upp på sjukhuset. Hon blev missnöjd när hon hörde vad de talade om. När dottern skulle gå följde hon med till hissen: Din far inbillar sig. Han är den naivaste man som har gått i ett par skor. Kvinnor har alltid lurat honom. Det spelar väl ingen roll vems pojken är, invände dottern, huvudsaken är att han ville dela en sanning med mig, om så bara symbolisk. Det blev ett upprört meningsbyte. Du tror väl inte, sade hustrun med hån i rösten, att din far skulle ha varit intresserad av att påstå att det var hans barn om det varit en flicka? Varför inte? frågade dottern. Äsch, svarade hustrun, din stackars far hade bara döttrar, en man vill ha en son för att känna sig manlig. Så berövade hon i en och samma mening sin man både sonen och manligheten och lyckades få sagt att döttrarna inte räckte till för fadern. Denna kvinna ägde en på sitt sätt beundransvärd precision. Nästa gång dottern kom på besök till sin far på sjukhuset grät han. Hans hustru hade fått honom att inse att han gjort sin dotter mycket ont, att hon haft tårar i ögonen när hon for ner i hissen. Hon fick använda hela sin kraft för att övertyga fadern om att det inte var så. Lögnen sårar, sade hon till sin far. Den sanning fadern velat dela med henne tillät dem att mot slutet av hans liv tala mer öppet. Strax före sin död bad han henne att ta kontakt med pojken, nu en vuxen man. Han längtade efter sonen som han inte sett på många år. Han ville träffa honom en sista gång. Hon övervägde det. Men hon ville inte att faderns hustru skulle få anledning att plåga honom. Mötet kom inte till stånd.

EN CHARMERANDE MAN

var hennes far, älskad av kvinnorna. Vacker att se på. Ingen playboy, för ömtålig för det, men en pojke: för svag för att kunna hantera kärleken som han väckte hos andra, för svag för att kunna ta hand om den kärlek han själv hyste.

HANS NEDERLAG

blev många. När han blev sjuk och inte kunde ta hand om sig själv fick han svårt att hålla kontakt med dem han en gång stått nära. Så länge han ännu kunde ta färdtjänstbil själv kom han ibland hem till sin äldsta dotter. Då ville han först av allt ha telefonen. Hustrun tillät honom inte att ha en egen. Han satt i den gula fåtöljen i dotterns vardagsrum och väntade otåligt. Så fort telefonen blivit framdragen och han fått den i knät ringde han: till sin syster, till sin yngsta dotter som bodde i en annan stad, till en avlägsen släkting. Det var hjärtskärande att se honom försöka hålla kvar ett litet stycke av eget liv.

FARMODERNS GULDKLOCKA.

Han hade den med sig i fickan en dag, insvept i en näsduk. Ville hon ha den? Hon blev outsägligt glad. Hon mindes klockan som alltid hängde i en kedja runt hennes farmors hals. Mest blev hon glad över att fadern tänkte på henne och ville ge henne den. Men klockan var trasig. Vi måste till en urmakare, fastslog fadern. På återfärden till sjukhuset stannade de till med färdtjänstbilen och hon lämnade in klockan. Efter ett tag påminde hon fadern om att de måste hämta ut klockan. Då skakade han stumt på huvudet. Hans ögon var kuschade. Hans hustru hade hämtat ut den och tagit den i beslag. Glöm det, sade dottern. Sin farmors klocka såg hon aldrig mer, och efter hans begravning inte heller kvinnan han gift sig med.

SARAJEVO.

Tillståndet i staden är obeskrivligt, de lever som råttor där. En vän till Emm från Sarajevo har kommit till Stockholm. Han har sprungit över flygplatsen under beskjutning och så tagit sig ut ur staden. Emm och vännen har setts och skall ses igen. Men denna kväll vill han gå med henne på bio. Han vill se en film som han läst om, förmodligen dålig men han vill se den: en amerikansk komedi. Emm har varit upptagen, han har arbetat hårt. Hon erbjuder sig att gå i förväg och köpa biljetter.

HAN ÄLSKADE MIG, TYP

sade den unga flickan bakom henne i tunnelbanans rulltrappa. Hon kastade en blick över sin axel. Flickan som talade bar en svart läderjacka. Hennes hår var svart. Hennes läppar var ett självlysande rött sår. Hennes väninna som lyssnade var blond och snaggad och tuggade tuggummi. Flickrösten

var gäll och sorgsen. Vi låg flera gånger med var-
ann. Han sa att han älskade mig, typ, att vi skulle
hänga ihop. Jag trodde honom. Rulltrappan tog
slut. De fortsatte över avsatsen till nästa rulltrappa,
hon först, de två flickorna strax bakom henne.
Flickan talade hela tiden: Men igår mötte jag ho-
nom med en annan tjej. Han var full. Han hängde
på henne. Han hälsade inte på mig. Kanske såg han
mig inte. Flickans röst gick upp i falsett: Och jag
som trodde att det var riktig kärlek, typ, mellan
oss. Det blev tyst. Bara ljudet av klackar hördes.
Fy faan, sade hon som tuggade tuggummi med ett
sådant eftertryck att det utdragna a:et för en stund
hängde mellan väggarna och vibrerade. Typ? Att
inget händer oss på riktigt? Att vi är matriser? Att
vi med våra liv illustrerar en redan skriven story?
Smärtan vi upplever talar mot det. Smärtan är in-
dividuell.

BLOMSTERAFFÄREN

i tunnelbanenedgången var stängd. En man med
slutna ögon låg på en pappskiva utanför den. Det
var mycket kallt.

var en svart ravin. Det var nästan folktomt. Stela
juldekorationer hängde mellan husväggarna. De
rörde sig sakta, tycktes klirra en aning.

BIOGRAFEN.

Hon hade tagit fel på tiden, hon hade kommit näs-
tan en timme för tidigt. Sedan hon köpt biljetterna
i den ödsliga kassan stod hon kvar en stund utan-
för biografen och betraktade filmbilderna. Kylan
steg genom skosulorna och rätt upp i underlivet.
Hon ville inte fråga Emm om något mer innan han
reste. Hon kunde inte föreställa sig att han skulle
komma tillbaka.

REMARQUE.

Hon mindes en bok som hon hade läst i sin ung-
dom, förmodligen av Erich Maria Remarque. En
soldat på permission skall skiljas från sin fästmö.
Hur skall de förlänga de sista timmarna innan han
återvänder till fronten? De vill inte gå på bio, då

går tiden för fort. Inte heller sitta på kafé. De beslutar att gå på museum där tiden nästan står stilla. De vandrar långsamt mellan de dammiga montrarna med likgiltiga föremål. Minuterna tickar sig fram. De går från monter till monter utan att säga något.

EN CAPPUCCINO.

Hon tände en cigarrett vid kafébordet. Lika obehaglig som kylan ute var den kvava värmen bland kafégästerna. De flesta var unga. De hade läderjackor och tjocka halsdukar. Medan hon långsamt drack sin cappuccino, fadd och smaklös, fick hon för sig att tiden som nu låg framför henne liknade gatan därute: en svart ravin. Oväntat saknade hon sin mor. Allt som de kunde säga varandra hade till slut redan blivit sagt, och många gånger om. Men något viktigt fanns som de aldrig kom åt. Nu, vid kafébordet, vred det till i hjärtat. Många gånger lyssnade hon efter moderns död till de sex solosviterna för violoncell av Johann Sebastian Bach. Då såg hon moderns ansikte för sig: den mor som hon inte haft. Ett parti ur dessa sviter måste det ha varit, föreställde hon sig, som modern spelat för henne, bara för henne, när hon var liten och en gång låg sjuk. Hon hade velat tala med modern om musiken. Men det gjorde de aldrig. Modern vände sig bort från musiken. Allt hade kunnat vara annorlunda. Hon fick en impuls att ringa till henne: Jag kommer till jul! Genast hörde hon glädjen i moderns röst. Så hade det också varit. Varje gång modern blev överraskad, av ett besök, en glad nyhet, fylldes rösten av glitter. Och när de kom på besök till henne: ett fyrverkeri av sprittande glädje. Hon hade inte känt någon med samma champagneglädje. I modern hade det funnits mycket liv. Det mesta förblev olevt. Många salar som inte fick tas i bruk. Varje gång hon lyckades göra sin mor glad blev hon själv värmd, av en lättsinnig och berusande glädje. Hon hade misslyckats många gånger. Att aldrig få vara med om trolleriet igen kändes ledsamt.

THE EUROPEAN.

Fast det var en halvtimme kvar innan hon skulle möta Emm stod hon inte ut med att sitta kvar vid

kafébordet. Hon gick för att köpa The European
i tobaksaffären som höll utländsk press. Först ef-
ter en stund insåg hon att mannen bredvid försälja-
ren vid disken, mannen som viftade så häftigt och
avvärjande mot henne, GET OUT, I DON'T WANT
YOU IN HERE, var Emm. Hans näsa var röd av
kylan. Han var röd om kinderna också. Han fnis-
sade. Han såg skälmsk ut, ett nytt ansiktsuttryck;
hon hade inte sett det tidigare. DON'T BE NAUGH-
TY, BE A GOOD GIRL AND CLOSE YOUR EYES!
Hon hann se vad det var Emm köpte, ett omslags-
papper med röda tomtar på. Hon skulle få en jul-
klapp. Han höll den gömd bakom sin rygg. Hon
blev glad som en barnunge. En julklapp! Och hon
som inte ens hade tänkt på att ge honom en. Hon
vände lydigt ryggen till medan Emm slog in hen-
nes present. Att hon gått in i affären för att köpa
en tidning glömde hon. Nej, hon skulle inte få den
nu. Hon fick ge sig till tåls, sade Emm. Hennes jul-
klapp försvann i hans djupa rockficka.

A HORRIBLE TIME OF MY LIFE.

Det var för kallt att vara ute. Hon tog en cappuccino till på kaféet för att göra honom sällskap. Slitna träbord, väggpaneler av trä. Musik ur högtalarna, alltför hög. Hon sade att hon hade läst hans manuskript som han bett henne göra. Det var bra. Det var utomordentligt. Det var ohyggligt. Bitvis hade det varit svårt för henne att läsa. Emm höll sin kopp mellan händerna. Ännu var manuskriptet inte färdigt. Det återstod några dagars arbete. Skrivandets tid hade varit förfärlig, A HORRIBLE TIME OF MY LIFE, denna vinter i Stockholm. Han avsåg inte bara ansträngningen att skriva. Han blev frånvarande. Hans blick försvann i träpanelen bakom hennes rygg. Hans ansikte: fruset.

I UNDERSTAND YOU

sade hon och tillade att denna tid varit påfrestande också för henne. Emm ryckte till. Han såg frågande ut, nära nog överrumplad. På vilket sätt hade tiden varit påfrestande för henne?

WELL...

allt möjligt, hennes skilsmässa, till exempel. Vintern hade inte varit lätt, helt enkelt. Hon tänkte inte berätta för honom om hur denna tid hade varit för henne. Hon släckte sin cigarrett, en smula olycklig för att den kom på tal.

YOU MUST THINK I AM SOMEONE THAT FELL DOWN FROM THE MOON!

Han utbrast det.

Han gjorde ett häftigt kast med huvudet. Han lutade sig bakåt på stolen, han vägde på den. Han såg upp i taket. Hon såg ner i sin kopp och bet sig i läppen. Nej, Emm kunde inte veta hur vintern varit för henne. Hon inte heller hur han hade haft det. Det hade inte funnits tid att tala om sådant. De hade använt tiden till annat.

BUT I HAVE NOT FALLEN DOWN FROM THE MOON. I KNEW YOUR SITUATION. FORGIVE ME, I HAVEN'T BEEN OF MUCH HELP TO YOU.

Hon skakade på huvudet för att han inte skulle säga mer. Det brände till av tårar bakom ögonlocken. Hon visste inte varför. Hon grät aldrig. Nästan aldrig. Hon kunde inte komma ihåg när hon gråtit senast. Inte ens om hon försökt och velat hade hon kunnat hjälpa Emm. Tiden var inte sådan. THINGS FALL APART; THE CENTRE CANNOT HOLD. Det kunde de inte rå för. Inte göra något åt. Hon lyckades med en kraftansträngning bemästra gråten. De var tvungna att hastigt resa sig för att inte komma för sent till filmen, som mycket riktigt var dålig.

DET SISTA MÖTET.

En dag, det var vid ett av sina besök på sjukhuset, sade hon att hon inte kunde komma på den vanliga tiden veckan därpå. Hennes mor skulle komma till Stockholm då. Fadern blev orolig. Han ville, sade han, till varje pris träffa sin första hustru. De hade inte sett varandra på decennier. Han var påstridig. Han talade med en envishet som var ovanlig. Ett möte skulle i och för sig kunna genomföras. Den nya hustrun, som skulle ha haft många invändningar mot det, befann sig på resa utomlands. Fadern hade många gånger under åren på sjukhuset talat med dottern om sina samvetskval gentemot hennes mor. De plågade honom. Dottern svarade varje gång att han inte skulle göra sig några bekymmer. De bar ett gemensamt ansvar för utgången av äktenskapet. Det hade nu gått många år sedan de skildes, nästan ett helt liv. Det fanns inga skäl för honom att göra sig samvetsförebråelser, sade hon. Denna gång gav sig fadern inte. Han ville absolut träffa henne. Det tycktes inte ha med samvetskvalen att göra. Dottern blev osäker. Hon var inte övertygad om att modern ville se honom efter alla år. Men hon förstod att det var frågan om det enda och sista mötet. Fadern kunde nu knappt gå längre, han satt för det mesta i rullstol. Men under dagarna som följde lät han sig rullas in till telefonen på sköterskeexpeditionen och ringde flera gånger med stigande otålighet till dottern. Hon lovade att fråga modern så fort hon anlänt till Stockholm. Hon hann inte. Innan modern kommit fram ringde fadern igen. Han tänkte genast ge sig av från sjukhuset i färdtjänstbil, förklarade han, och vänta hos dottern tills modern var där. Men pappa, sade hon, låt mig först få fråga mamma hur hon vill ha det. Hon var inte säker på hur modern skulle reagera. De gånger mamman talade om honom var det ännu med en hätskhet som skar. Hon ville bespara fadern elakhet. Men fadern ringde flera gånger till. Hon hade inte varit med om något liknande från hans sida tidigare, och hon förstod hur viktigt mötet var. Vid kvällsmåltiden sade hon till modern, inte utan oro: Pappa vill träffa dig. Hennes mor höll på att lyfta gaffeln till munnen. Hon lät den sjunka. Jag vet det, svarade hon stilla. Jag har vetat det i många år. Jag har väntat på tillfället. Dottern blev stum av häpnad. Dessa två människor hade inte bytt ett ord med varandra på årtionden. Ändå var det som om de ordlöst hade gjort upp om ett möte. Hon frågade om hon skulle köra modern till sjukhuset för att bespara fadern färdtjänstresan. Naturligtvis, sade modern och gick ut i tamburen. Medan hon satte på sig kappan och baskern och skorna ringde dottern till sjukhuset och fick en sköterska att på nytt rulla in fadern på sköterskeexpeditionen. Vi är där inom en halvtimme, sade hon till sin far. Gudskelov, sade fadern, hans lättnad var hörbar. Vid sjutiden på kvällen for de upp i sjukhushissen. Modern var tyst. Dottern var fortfarande blank i huvudet av häp-

nad. Det hela liknade ett mirakel. På avdelningen
var det tomt och stilla. Din far är i TV-rummet,
sade ett sjukvårdsbiträde som gick förbi. Medan
modern väntade skyndade dottern dit. TV:n var
påslagen, ljudet var mycket högt. Patienter i rull-
stolar trängdes framför den. Fadern satt på en stol
i dörröppningen. Hon lade handen på hans axel.
Nu är mamma här, sade hon. Då lystes faderns
ansikte upp inifrån. Det var som om två ljus tänts
i hans ögon. Hela ansiktet lystes upp. Det var ett
mirakel. Inte rullstolen. Absolut inte. Fadern ville
gå själv. Han pekade på bocken vid sin sida. När
han släpat sig genom korridoren, gåbock på ena
sidan, dottern på den andra, blev han stående i öpp-
ningen mot hissen. Han andades häftigt. Det var
inte av ansträngningen. De gick varandra till mö-
tes, modern och fadern, hon i sin ljusa poplinrock
och baskern på sned, han i kippande tofflor och
bomullströja, vithårig och böjd. Det hela var overk-
ligt. De båda föräldrarna omfamnade tyst varand-
ra. Det fanns ingenstans för dem att sitta utom i de
två plastklädda fåtöljerna vid hissen. Där stod
också ett runt bord och ett överfullt askfat. Dot-
tern placerade fadern i en av fåtöljerna och sprang

för att hitta en stol åt sig själv. Under bilfärden hade hon bett en tyst bön att modern inte skulle säga något elakt, inte använda sina spetsiga tonfall. Hon hade inte behövt oroa sig. Föräldrarna satt tysta, upptagna av att betrakta varandra. Efter en stund lyfte fadern handen och drog den genom håret. Förlåt mig, sade han. Jag talar så illa, jag har afasi. Orden kom långsamt ur honom. Modern svarade: Det spelar ingen roll, också jag är gammal. Fadern invände: Du är dig lik. Du är vacker. Modern: Du också. De teg. De hade rätt. De var båda mycket vackra. Fadern sade: Vi kan vara stolta över våra döttrar. Modern: Ja, verkligen. Fadern: Det var bra att vi gjorde dem. Modern med eftertryck: Det är det bästa vi har gjort. Då och då gled hissdörrarna upp. Besökare kom och gick. Fadern nämnde någon bekant ur det förflutna, kom hon ihåg honom? Det gjorde hon. Hon hade också något att berätta om denne bekant. Fadern lyssnade uppmärksamt. Ett biträde, en ung rödhårig flicka, kom efter en stund och frågade fadern om det inte var dags för honom att lägga sig. Snart, svarade fadern. Inte ännu. Han vinkade avvärjande med handen. Han harklade sig. Han började berätta en historia om sin far. Han kom av sig. Modern fyllde i. Hon visste genast vad det var för en historia han ville berätta, hon hade hört den förut. Hon hade känt hans far mycket väl och kom ihåg hela historien. När hon hade berättat den skrattade båda föräldrarna. Faderns ögon var mycket blå. Han släppte inte modern med blicken. Hon tog fram en cigarrett ur sin axelväska. Då ville fadern också ha en. Hon tände den åt honom. Dottern satt tyst. När hon var ung hade hon alltid varit orolig när föräldrarna talade med varandra, alltid varit beredd att gripa in, att avleda. Nu behövdes det inte. Ytterligare namn blev nämnda. Moderns bror och svägerska? De lever ännu, svarade modern. De höll mycket av dig, lade hon till. Sedan sade hon att hon skulle hälsa till dem från honom om han ville. Fadern nickade. Barnbarnen? Ja, han höll reda på sina barnbarn. De hade varit på besök hos honom på sjukhuset, några av dem för ganska länge sedan nu, men han mindes alla namnen. Efter en stund, då det rödhåriga biträdet hade återvänt, denna gång med en rullstol, sade modern att det kanske var bäst att de gick. Kanske, svarade fadern, det tar lång tid att lägga mig och flickan vill hem. Den rödhåriga böjde sig över fadern och hjälpte honom upp. På nytt stod föräldrarna mitt emot varandra. Det var roligt att se dig, sade modern. Hon lyfte sin hand och smekte hans kind. Tack för att du kom, sade fadern. Han klappade moderns axel, det blev en smula valhänt. Besöket hade varat i tjugo minuter, högst en halvtimme. Den rödhåriga försvann med fadern i rullstolen bortåt korridoren. När de skulle ge sig av visste inte dottern längre var hon hade hängt sin kappa. Medan modern väntade sprang hon tillbaka till TV-rummet. Där fanns den inte. Hade hon hängt av sig den i faderns rum? Hon kom inte ens ihåg om hon varit där, hon var omtumlad och förvirrad. Hon skyndade tillbaka genom korridoren. På den höga sjukhussängen i sitt rum satt fadern hopsjunken i en vit undertröja. Hans bröstkorg var mycket mager. Det rödhåriga biträdet satt på huk nedanför honom och drog av honom byxorna. Faderns kinder var våta av tårar. Han grät ljudlöst och utan hejd. Han grät som om hjärtat ville brista. Dottern kramade om honom. Hennes kappa var inte där. Hon fann den bakom en av de plastklädda fåtöljerna utanför hissen. Modern stod vid fönstret med ryggen mot henne. Hon hade dragit åt poplinkappans skärp hårt runt midjan, baskern satt på trekvart. Hennes rygg var tunn och böjd. Skall vi gå, frågade dottern. Modern nickade efter en stund. Hon snöt sig. De for ner i hissen under tystnad. Under bilresan hem sade modern nästan ingenting. Från och med det upphörde hennes hätskhet mot fadern. Hon sade ibland att hon hoppades att mannen fått uppleva kärlek med sin nya hustru. Hon själv hade inte kunnat ge honom den kärlek han behövde och också var värd, sade hon. Hennes röst var utan bitterhet. När dottern ringde från en våning i Jerusalem hade den döde under natten kommit och lagt sig i sängen hos henne. Han hade hållit om henne som för att ge henne kraft. Också fadern blev lugn efter detta sista möte. Något hade klarats upp mellan dem. Något hade blivit avslutat som det skulle.

SERBIAN HYMNS

fanns på CD-skivan hon fick av Emm i julklapp. Meditation. Toner utan tyngd. De steg mot himlen, de sjönk på nytt. Stengolv. Strimmor av ljus. I musiken det osedda landskapet, obesudlat av blicken. THE RADIANCE. Musik utan slut. THE ESSENCE. Det var en manskör, ortodoxa munkar, som sjöng. Inga instrument. Bara rösterna. Hon mindes Ohridsjöns djupblå yta. Hon kom ihåg sin mormors stenparti. Aklejorna, de tunga röda pionerna. En trollslända, blåskimrande, stod stilla i luften ett ögonblick, knyckte sedan till med kroppen och var borta. Emm låg med öppna handflator och med armarna utsträckta på mattan. Hon låg med huvudet lutat mot hans höft och lyssnade. Sedan såg hon bara ljus. Det var ett flimrande och dansande ljus. De små farande ljuspartiklarna ritade upp ett rum utan väggar, en oändlig rymd. Allt befann sig i rörelse. Allt i världen bestod av detta ljus, denna oavlåtliga rörelse. Också hon själv. Hon var inget annat än dansande ljus. När hon senare lyssnade till CD-skivan som hon fått i julklapp av Emm återkom känslan. Vi kommer ur ljuset. Vi längtar tillbaka dit. Så tänkte hon. Först var känslan mycket stark. Den klingade av en smula med åren. Och ändå mindes hon den. Här är det. Här är närvaron. Dansande ljus.

YOUR WIFE.

Hon kunde ha låtit ämnet vara. Men de drack vin, för mycket vin, denna kväll. Det fanns mycket mellan dem som aldrig hade blivit berört. Hon kunde ha låtit det vara. Kanske ville hon fästa Emm i tiden; också i deras gemensamma berättelse, hans och hennes.

MY WIFE.

Något hade hänt mellan dem. Något hade slocknat för länge sedan, sade Emm. Vad? Det visste han inte. Det fanns inga ord för det. Du måste ta reda på det, sade hon. Tre barn tillsammans. Man får inte glida bort från varandra utan att veta varför det sker. Emm gick genom rummet med vinglaset i handen. Han log mot henne. Han sträckte armarna mot taket. Han föreföll bekymmerslös. Han slog sig ner i den gula fåtöljen. Han kastade det ena benet över det andra. Han drog med handen genom håret, så som hennes far brukade göra, men hos fadern betydde gesten alltid osäkerhet. MY WIFE. Han ville ogärna röra vid ämnet. Hon märkte det. Det var kanske för sent. Det kunde också hända att det var för tidigt. Men abstraktioner. Tvetydigheter. I dem kan vi inte leva. Det finns orsaker till allt, sade hon som för en gångs skull inte ville byta samtalsämne. Om något slocknar mellan människor så betyder det att något fanns en gång. Något har dragit sig tillbaka: då måste man söka efter det. Att leva är en övning i uppmärksamhet, sade hon, som om hon visste något om det. Hon visste varför hon envisades. Tiden var nu mycket kort. De hade snuddat vid varandras liv. Det finns ögonblick då man vill gå djupare in. Det finns människor som man vill gå djupt in i som i en berättelse. Men hon var obetänksam. Män vill inte att man skall ta hand om deras förhållanden till andra kvinnor. Män vill bli älskade, helt enkelt. Emm lade händerna bakom nacken. Hans självlysande ögon riktades mot henne.

YOU ARE VERY BEAUTIFUL

sade han.

En komplimang. Hon ville inte höra komplimanger. Vad var det hon ville? Emm. Plantera hans berättelse i jord. I verklighetens mark. Så som kvinnor gör. På kvinnors vis ville hon det, glömsk av att varje varelse har flera liv.

INCREDIBLY BEAUTIFUL.

För varje komplimang avlägsnade sig Emm. Han gömde sig, han avvärjde.

Män, tänkte hon i soffan.

Hon var inte jordens andning, inte de blå bergen. Hon var inte heller prinsessan i tornet. Hon var en jordisk kvinna.

DON'T GIVE ME NICE WORDS

sade hon, och hennes tonfall var spetsigt som moderns, hon hörde det själv.

BEAUTIFUL AND VERY INTELLIGENT.

Rösten var torr, som en kvist som knäcks i skogen.

EN MAN

i en gul fåtölj.

Hans blick var oåtkomlig. Att skiljas: nästan all-
tid omöjligt. En man med ljust hår och fina mun-
vinklar. En skuggning av melankoli. Om sex da-
gar julafton. Tiden var verkligen kort. Bakom ho-
nom såg hon den långa raden av böcker. Lampan
kastade sitt sken över parketten. En storm blåste
upp långt borta. Hon hörde metallstycken som slog
mot varandra. Svepande oseende ögon av ljus. Näs-
tan ohörbara skrik. Kriget som pågick på några
flygtimmars avstånd. Emm såg uttryckslöst på hen-
ne. Hon tyckte att det var uttryckslöst.

IT IS TRUE THAT I HAVE TOO OFTEN FELT COM-
PELLED TO SEDUCE BEAUTIFUL WOMEN. SING-
ERS, ACTRESSES. A WEAKNESS. PERHAPS A RE-
VENGE

sade mannen i den gula fåtöljen.

Naturligtvis hade han förfört vackra kvinnor. Hon

194

tvivlade inte på det. En svaghet, varför inte en hämnd. Hon var inte den första kvinna som denne man bedrog sin hustru med. Varför skulle hon tro att hon varit den enda kvinna som han älskat med under tiden i Stockholm, A HORRIBLE TIME? Män, tänkte hon. Rätten de tar sig att sänka sig ner i kvinnorna. Vara blinda. Bryta upp när det passar dem. Och kvinnan, hos vem skall hon luta sitt huvud? SINGERS, ACTRESSES. Ja, säkert hade mannen i den gula fåtöljen förfört sångerskor och skådespelerskor. Kvinnan: en projektion. En skenbild. Metallstycken som slog mot varandra. Hon hörde ljudet hela tiden. Hon fick inte bort det ur öronen. Blänket av lampan i parketten. Flimmer, ont flimmer. Isen kröp in över henne. Sekunderna som gått sedan han talat om för henne att han alltför ofta frestats att förföra vackra kvinnor var inte många. Redan var hon kall som is. De veckor de haft tillsammans, hur många till antalet? sju, revs sönder. Som ett regn av vita små lappar med flikiga kanter regnade veckorna över golvet. Ett sönderrivet brev, snart oläsbart. Han skulle resa sin väg. Det gjorde henne inte något. Ett gräl hade de ännu inte haft tillsammans. De skulle inte heller få något. Många var de ansiktsuttryck hos mannen i den gula fåtöljen som hon aldrig skulle få se. Nyss hade hon sörjt över det. Kanske borde hon prisa sin lycka. Tiden som gått sedan han fällt sina ord om sångerskorna, skådespelerskorna och om kärleken till dem som kanske var en hämnd, och vad hämnades han egentligen på?, var fortfarande kort, en halv minut på sin höjd. Hon hann under de trettio sekunderna böja sitt huvud mot knät, lyfta det igen med en knyck, lägga märke till lampskenets gungande spegling i balkongfönstret och se mannen i den gula fåtöljen rakt i ögonen. Hans ögon var kalla. Hon tyckte att de var det. Sedan flackade något till i hans blick, något välvde sig i den, som hos en människa som inte vill bli slagen.

YOU IDIOT, YOU ASSHOLE.

Hennes röst var inte spetsig, bara ohyggligt tydlig.

Hon ville bort. Svartsjuka, hon kände igen den. Ja, hon var svartsjuk. Inte på levande kvinnor. Hon var svartsjuk på bilden av kvinnor som män har, somliga män. Hon ville vara något annat än en skenbild. Var finns det levande mötet mellan människor, det nakna mötet? Inte hos oss som lever på jorden. Inte i den jordiska kärleken. Någon annanstans. Kanske i musiken. De hade mötts i respekt, de hade gett varandra utrymme och rymd, de hade varligt infogat varandra i den gemensamma berättelsen. Att skiljas på samma sätt klarade de tydligen inte. Hon borde utrusta honom med präktiga skepp, ge honom förliga vindar för hemresan, inte onda ord som sprang ur hennes besvikelse; men besviken var hon också på sig själv. Hon kom på fötter. Hon hejdades av hans arm innan hon hunnit ta mer än ett par steg, den var hård.

LET GO OF ME.

Hon försökte vrida sig ur hans grepp.

I AM NOT THE BEAUTIFUL WOMAN YOU ARE LOOKING FOR.

Han höll fast henne. Sedan var hans arm inte hård längre. Hon såg in i hans ögon. De var nakna. Hans läppar var mjuka när han lutade sig över henne och kysste henne. Han bar henne till sängen. Hon minns efteråt en färd över mörka och snabbt rinnande vatten, klippöar och grottor, ofattbart djupa grottor där havet viskar och andas. Han viskade om resor de skulle göra tillsammans, hon hörde det, långa resor i en framtid som de inte ägde. Han viskade namn på okända öar som han skulle föra henne till, och namn på skogar där menaderna dansar. Hon kunde inte skilja hans röst från ljudet av vatten, av sugande, virvlande vågor. Han är på hemfärd. Han har dragit henne med sig ett stycke. Snart måste han lämna henne. Han närmar sig redan konturerna av klippor och berg där han är hemmastadd. Han släpper henne. Han ligger utstjälpt över hennes mage och gråter. Kanske gråter han inte. Det är en torr snyftning bara. Ett litet hackande ljud.

De har inget att säga varandra efteråt. Ute är det mörkt. Hon hör hans röst medan han i rummet intill ringer efter en taxi. Hon reser sig inte ur sängen. Han kommer inte in till henne. Efter en lång stund hör hon ytterdörren falla igen.

har de inte sagt till varandra. Det återstår ännu ett
möte för att varligt avsluta berättelsen.

JAG KAN INTE

sade hon till Jacob som ville träffa henne. Han var
angelägen i telefon. Han ville se henne, om så bara
för en liten stund. Var hon inte till belåtenhet, den
andra? frågade hon, med en röst så spetsig att hon
själv frös av den. Det blev tyst. Sedan sade han att
det inte var så. Den andra var till full belåtenhet.
Han längtade efter att se henne helt enkelt. Åtmins-
tone en stund. En kopp kaffe på ett fik, det räckte
för honom innan han reste. Hon frågade inte vart.
Jag kan bli din vän, sade hon. Vän, det är för litet,
svarade Jacob. Hon satt med telefonluren tryckt
mot kinden efteråt, osäker på hur hon skulle tolka
hans ord. Som en komplimang kanske. Men det
var ingen komplimang. Det var kärlek. Det var den
del av hans kärlek som tillhörde henne. Hon kunde
inte ta emot den. Att vidhålla att hon inte ville träffa
honom hade känts tyngre än att välta Himalaya.

Hon tog sömntabletter, flera stycken, innan hon gick till sängs.

JULAFTON:

hon tänkte inte stiga ur sängen den dagen.

I'LL CALL YOU.

Men ännu var det inte jul. Hon ringde till Emm, det var på kvällen, hon ville säga adjö. Göra det väl. Utan onda ord. Utan onda tankar. Många signaler gick fram innan han svarade. Han var berusad. Hon hade inte varit med om det förut. Hon hörde röster bakom hans, och musik. Hans tonfall var främmande. Men det var han. Hans vän från Sarajevo var hos honom, sade han. Vännens far hade dött. Det hade inträffat sedan han tagit sig ut ur den belägrade staden. Nu ville han återvända dit. Emm försökte hindra honom: vad skulle det tjäna till, många dör i Sarajevo, vännen kunde inte väcka sin far till liv igen. Han ville avsluta samtalet, hon hörde det. Musiken i bakgrunden, den var högt uppskruvad. Den gjorde det svårt att uppfatta vad han sade. Till slut hörde hon det: I'LL CALL YOU. De lade på.

ÅRSTAVIKEN

hade lagt en tunn blank yta av is över vattnet. Det skimrade av blått. I strandkanten stod infrusen vass. Mitt i viken fanns en ränna. Hon gick runt vattnet, en lång promenad, den tog många timmar. När en väninna ringde som hon inte hört ifrån på många månader blev hon glad och sade ja. De gick ut och åt på kvällen. Hon berättade om sin augustidröm för väninnan. De hade mötts i drömmen. Väninnan hade tillsammans med henne betraktat riddarrustningen som for som en satellit runt jorden. Det är fruktansvärt att vi vänjer oss vid detta vårt tillstånd! hade väninnan sagt i hennes dröm. När hon kom hem var hon utmattad och somnade genast. När hon vaknade mitt i natten såg hon att telefonsvararen blinkade. Hon hade inte lagt märke till det innan hon somnade.

I AM READY. THE BOOK IS FINISHED. I AM FINALLY FREE. I FEEL AS IF AN IMMENSE HEAP

OF SHIT HAD BEEN CAST OFF MY SHOULDERS.
I AM CALLING FROM ARLANDA. MY PLANE
WILL LEAVE IN A FEW MINUTES. I KNOW THAT
WE WILL MEET, SOMETIME, SOMEPLACE. I
LOVE YOU.

Hon tände en cigarrett. Hon lyssnade till Emms meddelande två gånger, sedan fem gånger. Hon lyssnade till ljudet från bandet som spolades tillbaka i maskinen. Hon gick sakta genom våningen utan att tända ljus.

VATTEN.

Hon drack flera glas i köket.

På golvet vid diskbänken fanns som alltid en varm fläck. Ett vattenledningsrör gick där, djupt inne i huskroppen. Hon stod på den varma fläcken en lång stund. Nedanför fönstret kastade en gatlykta ett blåaktigt sken. Hon tänkte på mannen i flygplanet. Släckta hus fanns långt under honom. Slätter och floder. Städer och kyrkor. Allt faller samman. Marken under våra fötter är tunn. Ett stenkast, kanske mindre, skiljer liv från död.

Det mesta av vintern återstod ännu. Den skulle bli lång. Hon hade kunnat älska honom men tiden var inte sådan. Hon kunde inte förebrå honom för annat än att inte ha sagt adjö. Ibland är det svårt att göra det. Hon gick genom rummen. Till slut lade hon sig i soffan med en filt över sig. Ingen musik. Bara ljudet av tågen som då och då for över bron. Och tystnaden som de efterlämnade.

Januaris isvindar och februaris mörker. Sedan mars och april. Hon stod inte i skuld. Inte längre. Inte till någon. Kanske inte ens till sitt barn. Det som varit kunde inte göras ogjort. Det var över. Hon skulle kunna gå ner och lägga sig under ett av de nakna träden. En dag medan det ännu var vinter och marken tillräckligt kall skulle hon kunna göra det; en sådan vinterdöd är mild. Att tänka den tanken gav frid. Hon hade velat bli fri. Nu var hon det. Hon låg i soffan och såg rätt in i himlen. Den var svart. Inga stjärnor. Bara friden som fanns överallt, hon fann inget bättre ord för känslan: inte bara i henne, i hela rummet, i den svarta och fullkomligt tomma rymden därute. Hon skulle inte alltid känna den. Hon skulle minnas ögonblicket.

* * *

(DET SISTA MÖTET.

Flera år senare, nästan fyra år senare – det var i Amsterdam, kriget var slut och en osäker och o-rättvis fred rådde på Balkan – möttes de. Det var på en konferens om utbildningshjälp till Sarajevo. Hon reste sig från panelen där hon suttit och fick, medan hon gick ner för den lilla trappan, syn på honom. Han satt ganska långt fram i salen. Senare kom han fram till henne. De gick till en restaurang nära Heerengracht. Jo, hon hade tänkt på honom. Hon hade tänkt på honom också när hon för sista gången stängde dörren till våningen som hon flyttade från. Hon hade vetat att han inte längre skulle ha något telefonnummer, någon adress. Han hade sökt henne, sade Emm. I motsats till henne hade han vetat att de skulle ses på konferensen i Amsterdam. När han samma morgon vaknat på sitt hotellrum hade han varit övertygad om att hon redan stod i rummet, att hon kommit, och för att stanna hos honom. Känslan hade varit så stark att han först inte kunde förstå att hon inte fanns i rummet. Han hade blivit äldre. Hon såg det. Håret var nästan grått. Hans kinder hade fått djupare fåror. Jag var tvungen att ge mig av som jag gjorde, sade Emm. Jag visste inte att kvinnor kunde vara som du. En sådan uppriktighet som hos dig hade jag aldrig förut mött. Jag hade redan missbrukat den, sade Emm, när jag insåg det. Att han på det sättet berättade för henne att han haft andra kvinnor i Stockholm gjorde henne inte ont. Inte nu längre. Inte så mycket. Hon hade förstått det. Hon skakade på huvudet när han bad henne att de skulle fortsätta. Nu skulle det vara möjligt. Han var en annan. Hon måste förstå det, sade Emm. NEXT TIME, sade hon och log, fast hon visste att det inte skulle bli någon nästa gång. Emm sträckte sig efter notan. Han ville betala. Hon väntade medan han gjorde det, och de gick längs Heerengracht där ljusreflexerna från de märkvärdiga och smala holländska husen dansade i vattnet. Några löv flöt i kanalen. Fast det var senhöst var det ännu varmt i luften, och han lade för ett ögonblick armen runt hennes axlar, och hon tyckte om det, men på Raadhuisstraat gick de åt var sitt håll.)

Stockholm 1995–1997